Rachid Boudjedra

L'escargot entêté

Denoël

Rachid Boudjedra est né en 1941 à Aïn El-Beïda, en Algérie. Il a enseigné la philosophie jusqu'en 1972. Depuis, il se consacre à la littérature et au cinéma.

Romancier, il a publié notamment *La répudiation* (1969), *Topographie idéale pour une agression caractérisée* (1975), *L'escargot entêté* (1977), *Le désordre des choses* (1991), *Timimoun* (1994). Poète, il a publié *Pour ne plus rêver* (1965) et *Greffe* (1984).

Il est aussi le scénariste d'une dizaine de films dont *Chronique des années de braise,* qui a obtenu la Palme d'or au Festival de Cannes (1975).

L'œuvre de Rachid Boudjedra est traduite en une quinzaine de langues. Depuis 1982, il écrit principalement en arabe.

Le premier jour

Aujourd'hui, je suis arrivé en retard à mon bureau. Je n'aime pas les jours de pluie. Les enfants sont excités et les embouteillages inextricables. C'est alors qu'il commence à se manifester sérieusement. Je ne m'en soucie pas trop, mais l'idée que je peux le rencontrer en sortant de chez moi me rend nerveux. J'ai beau partir tôt les jours où il pleut, je ne suis jamais à l'heure à mon travail. Le conducteur de l'autobus fait exprès de bavarder avec les passagers. C'est toujours le même, car je suis ponctuel dans mon retard. Je rate souvent celui de 8 h 30. Jamais celui de 8 h 45. Avec un peu de chance, je pourrais être à l'heure mais le chauffeur de l'autobus n° 21 n'est pas angoissé par l'horaire. La ponctualité n'est pas son souci majeur. Il se plaint de la vie chère. Grâce à lui je me rends compte que la viande n'est plus accessible. J'ai décidé de m'en passer. Lui, menace de porter plainte auprès du bureau de contrôle des prix. L'idiot, il perd son temps et me fait perdre le mien. Je suis donc venu en retard. 9 h 07. Je l'ai noté sur un bout de papier. Je travaillerai sept minutes de plus aujourd'hui. Je n'oublierai pas. Les employés ont regardé l'horloge quand je suis entré. La secrétaire a même souri. Je l'ai écrit aussi sur un autre bout de papier que j'ai mis dans la poche gauche de mon veston. Celui sur lequel j'ai marqué mon retard, dans la poche droite. Comme je consigne tout, je n'oublie rien. Elle peut toujours sourire, c'est quand même moi le chef. Ma mère disait le chameau ne voit pas sa bosse. La secrétaire non plus. Elle n'est pas bossue. Mais c'est tout comme. Bien sûr, personne n'a osé faire de remarque. Ils me connaissent. Je sévis. Je n'ai pas constaté à quelle heure je l'ai vu. Inutile. Il est d'une régularité exemplaire. Cela dépend du temps. Sec ou pluvieux. Le décalage est d'une heure. Exactement une heure. Je n'ai pas acheté un chronomètre de haute précision pour rien. C'est de l'argent bien investi. Il y va de ma vie. Elle a son importance. Si tout le monde était aussi strict que moi, la ville ne serait pas dans cet état de saleté. C'est pourquoi ma vie est précieuse. Plus que celle du chauffeur d'autobus. D'ailleurs, il mourra bientôt. L'inflation l'achèvera. Je sais de quoi je parle. C'est ce qu'on appelle une inflation importée. Je lis les journaux spécialisés. J'y découpe les meilleurs articles. L'année sera rude pour les pays sous-développés. Moi, je sais regarder les choses en face. Inutile de se plaindre. Je soupçonne cet homme de faire de la propagande subversive. Avec tous les aigris qu'il transporte, il a un public de choix. Très réceptif. Il y en a toujours un qui finit par lui donner une cigarette. Ce qui ne l'empêche pas de continuer à se plaindre tout en fumant, alors que c'est strictement interdit. Au bout de sa journée, il en a fumé, gratuitement, un paquet. Moi, je suis arrivé en retard à mon bureau, pour autant je n'ai pas inventé la théorie de l'inflation importée. La propreté de la ville me donne assez de soucis mais je me mets au courant. Deux ou trois centres d'intérêt. Rien de plus. Sinon, c'est l'éparpillement. Le temps gaspillé.

Les rats, eux, ne perdent pas le leur. Ils sont 5 000 000 à consommer et à se reproduire. En voilà un chiffre. Ma secrétaire ne me croit pas. Elle pense que je fabule. Même les autorités ne veulent pas en entendre parler. 5 000 000. Un chiffre efficace pour une lutte de longue durée. Mais c'est trop dur pour les cœurs sensibles. J'ai même été blâmé pour avoir suggéré de mener une campagne nationale avec ce slogan. 5 000 000 de rats, dans la capitale! La municipalité craignait un mouvement de panique et un exode qui bloqueraient les rouages de la plus grande ville du pays. Je n'ai rien dit. L'obéissance aveugle est la qualité essentielle du fonctionnaire. Je n'en pense pas moins. Il faut faire peur aux gens. Le civisme des masses est une utopie. Un guide. Un slogan. Rien ne résiste à une telle simplification. La prise en charge! Même les rats n'y échappent pas. Je ne suis pas un politologue (ne pas oublier de le noter sur un petit bout de papier!) mais je lis, chez moi. J'ai le temps. Aucun éparpillement. Aucune digression. Savoir concentrer ses efforts sur un objectif clair et tout faire pour l'atteindre. C'est ce que je fais. Un seul but dans ma vie. Anéantir les rats de cette belle ville qui pourrait être plus propre. Mais le ramassage des ordures n'est pas mon problème. Ni l'éradication des mouches, des moustiques, des punaises, des fourmis, etc. Seule l'espèce des rats m'intéresse. Je la connais. Toutes les informations la concernant sont consignées sur des fiches. Je garde mon fichier chez moi. Jalousement. Des années de travail. Les employés de mon service sont là parce qu'ils n'ont pas trouvé de travail ailleurs. L'administration a des difficultés à recruter. Les jeunes ont des préjugés. Mieux vaut ne pas parler des femmes! Elles ne restent pas. Elles font des jaunisses et au bout de quelques semaines, vont travailler ailleurs ou se marient. Elles aiment convoler. Même si ce n'est qu'une fois. Pourquoi cette obsession? La reproduction! Seule chose qui les intéresse réellement. Comme les rats et les souris. Moi, je vis seul. Une originalité dans une ville où l'instinct grégaire est très fort et la concentration familiale compacte. Mais les rats vont plus vite. C'est scientifique. Seulement les gens ne le savent pas. Deux rats pour un habitant. Les autorités municipales ne me croient pas. On a déjà tenté de brûler mon fichier mais j'en ai un double camouflé chez ma sœur à la campagne. Elle croit que c'est un fichier de police et fait semblant d'être ma complice. En réalité, elle veut me marier. Mais je fais la sourde oreille depuis vingt ans. Elle finira par se résigner et me demander de reprendre mon fichier. Je ne cesse pas de l'enrichir. Tout ce qui a trait aux rats y est rigoureusement enregistré. Mes petits bouts de papier m'aident efficacement. J'en ai toujours beaucoup trop, et le soir, chez moi, je les mets au propre. J'en transcris le contenu sur des fiches en double exemplaire. Je travaille pour l'avenir.

Donc, aujourd'hui, je suis arrivé en retard. Gouttes glauques sur les vitres s'étirant en ellipses de bas en haut et striant la surface des carreaux sur lesquels se brouille le reflet des arbres qui égaient la cour. Une journée de travail pas comme les autres. Je m'attarde à fixer mon attention sur le grisé de la buée, satin verdi par le reflet comme une mousse opaque plaquée sur de l'argile. Je préfère. Préfiguration labyrinthique. J'ai horreur de la nostalgie. Ma mère me manque. Je lui dois tout. L'ordre et la rigueur et l'horreur des jours de pluie, de la fonction reproductrice de l'homme et des miroirs. J'aime mieux penser à tout cela plutôt qu'à ma rencontre de ce matin. Elle avait décidé : un garçon et une fille. Ce fut fait, au bout de trois ans de mariage. Elle dut garder ses distances. Le père toussait. Elle lui répétait que l'abstinence était le seul remède. Elle fut stricte. Devint la risée de sa famille et de ses voisins. Elle tint bon. J'ai hérité ses répulsions et me suis spécialisé dans la reproduction chez les rats. Je ne veux pas penser à ce que j'ai vu ce matin. Il était là. Dans l'herbe rase du jardin, tapi avec ostentation. En position de combat.

Cornes croisées. J'ai fait semblant de ne rien voir. Couru vers la station. Mon bus habituel venait de démarrer. On me narguait de toutes parts et les écoliers chuchotaient des insanités à mon égard. J'ai même entendu un gros mot. Je l'ai immédiatement écrit sur un bout de papier. Je ne veux pas me tromper, les accuser d'avoir prononcé une autre grossièreté sous prétexte qu'elles se ressemblent toutes et qu'elles ont la même sonorité de base axée essentiellement sur la lettre « Z ». Pour ne pas tomber dans ces errements, j'ai donc noté ce que j'ai entendu. Les garnements ont paniqué quand ils m'ont vu sortir un bout de papier de 2×2 cm, déboucher mon stylo et griffonner dessus ! Ils ont détalé. Ils me prennent pour un jeteur de sort parce que je suis un vieux célibataire. Leurs mères les incitent à la violence contre moi. Elles m'accusent de vouloir éliminer l'espèce humaine. En fait, je ne m'en prends qu'aux rats. Jusqu'à nouvel ordre. C'est mon métier de les tuer. C'est vrai que je n'aime pas les bébés. Mais c'est une tout autre histoire. Mon père toussait. Je l'ai toujours entendu tousser. Ma mère avait dit si tu veux d'autres enfants, tu mourras des poumons. Il n'avait pas trop insisté. Elle savait décider. Un garçon. Puis une fille. Ce fut fait. Il pleut toujours. Ma mère disait la nostalgie, c'est pour les femmes et pour les tuberculeux. Elle avait raison. J'ai donc horreur de la nostalgie, des miroirs et de la pluie. Mais j'aime la buée et les gouttes de pluie par-dessus. Elles dessinent des labyrinthes en zigzag, semblables aux itinéraires des rats décrits par Abou Othman Amr Ibn Bahr (166-252 de l'hégire) dans son *Traité des animaux*. Car le rat ne court pas. Il zig-zague. Il ignore la ligne droite. Il louvoie. Sinon, les gouttes de pluie serrées et fines hachurant le grisé herbu de la vitre ne m'intéressent pas. Dès qu'il s'agit de rat, je suis fasciné, concentre toute mon attention. Noter sur un petit bout de papier cette analogie entre les parcours caractéristiques des rats et les sinuosités des gouttes de pluie sur un espace poli. Il pleut toujours. Sept minutes à rattraper. La sonnerie du téléphone commence à retentir. L'été, c'est pire. Le cliquetis narquois de la machine à écrire. Les pas précipités des premiers requérants. Le chauffeur d'autobus, etc. Une vraie journée de travail si.

Fiche n° 2012 « Chez le rat surmulot *(rattus norvegicus)* la curiosité et le penchant à apprendre par cœur tous les chemins possibles et imaginables dans un terrain délimité — le chemin de fuite, par exemple, qui le mène à son trou — sont des traits caractéristiques parmi les plus importants. Chez cette espèce, on retrouve, d'une façon exemplaire, cette capacité à utiliser des chemins annexes qu'elle n'avait pas particulièrement balisés. Dans le système de couloirs d'un labyrinthe, le rat commence toujours par faire une sorte de relevé topologique exhaustif. Ensuite, il élimine tous les chemins-impasses. Mais si l'on change quelque peu les conditions initiales, en modifiant les lieux où se trouve la nourriture, on se rend compte que l'animal n'a aucunement oublié ce qu'il avait mémorisé. Il retrouve immédiatement ce qu'il intuitionnait d'une façon latente comme s'il s'était agi d'un apprentissage explicite. » J'ai tout inventorié. Il faut connaître son ennemi. C'est un principe banal de la stratégie et de la tactique. Sinon, c'est l'enfermement. Les rats ont une manière bien à eux d'entourer les choses. Le labyrinthe est encerclement successif. Il renvoie à une symbolique extrêmement riche et son histoire est passionnante. Silas Haslam, géomètre du xixe siècle, y a consacré un gros livre : *Histoire générale des labyrinthes.* Je le répète à mes subordonnés. Ils ne comprennent pas. Ils ricanent. Ma mère disait le chameau ne voit pas sa bosse. Eux, non plus. Aucun n'est bossu. Mais c'est pire ! Ils me raillent souvent. Surtout quand il se fait tard et que la lumière, dehors, est plus lisse qu'à l'accoutumée. Je ne reçois que les plus excités parmi les visiteurs. Des pâtissiers dont les sacs de farine ont été vidés par des rongeurs. Des mamans dont les bébés ont été dévorés, etc. J'ai toujours un rapport à finir depuis que les autorités municipales ont décidé de lancer une campagne de propreté, à l'échelle régionale. Mais pas question d'imprimer des affiches avec le chiffre fatidique : 5 000 000 de rats ! Il doit rester confidentiel. On a beaucoup insisté là-dessus. C'est à cette époque que l'on a essayé de brûler mon fichier. Heureusement que j'en ai deux. Un temps poreux, ces jours de pluie. Je sais que dehors c'est la débâcle et la boue. Ici, c'est clair et net. Ceux qui ont le privilège d'entrer dans mon bureau doivent s'essuyer les pieds sur un paillasson en fibres de plastique, même les jours de canicule. Ainsi la propreté règne. Je reviens, parfois, à l'improviste, après la fermeture, pendant que les femmes de ménage nettoient. Je leur donne quelques directives. Elles en ont toujours besoin ! A l'intérieur de moi-même, c'est encore plus aseptisé, surtout depuis que j'ai éliminé la viande. Elle est d'ailleurs trop chère. A l'intérieur donc : acier. Silence. Repli. Le gris, couleur neutre par excellence, domine. Je suis rutilant et seul. Il m'arrive d'être atteint par un immense bonheur. C'est rare. Tous les progrès que je réalise dans la destruction des rats sont inutiles. La population se multiplie avec frénésie et l'exode rural gâche tout. L'espace vital des hommes se rétrécit. Les structures se bloquent. Les ordures augmentent selon une progression géométrique. Les rats en font plus. On m'a signalé que les docks sont devenus trop dangereux pour les dockers qui refusent d'y pénétrer de peur d'être mordus. Mais je reste sec. Ripoliné. Sans aucune trace de sueur. Eté comme hiver. Je tiens de ma mère. Elle était susceptible et ses gestes étaient si clairs qu'elle faisait scintiller l'ombre autour d'elle. En un mot, elle était phosphorescente. Sagace, elle avait gardé ses distances vis-à-vis de mon père. Sinon, nous serions dix ou vingt à l'heure qu'il est. Ripoliné de l'intérieur. Impeccable de l'extérieur. Tout est brillant dans mon bureau où je garde des statistiques qui sont de vrais secrets d'Etat. C'est pourquoi j'aime les mots courts et le thé à la menthe.

Pour le moment, je dispose de cinq équipes de dératisation. Il m'en faudrait dix fois plus pour subvenir aux besoins de la ville que je vois s'étager entre la mer et les collines, à plusieurs niveaux. Elle ignore le mal dont elle souffre. On m'a déjà dit de ne pas trop le répéter. Les consignes sont strictes à ce sujet. Je sais tenir un secret. Mais à ce rythme le danger est trop grave. Le port est un dessin bleu gribouillé d'armatures et de grues. Je ne l'ai jamais vu. Je n'y ai jamais mis les pieds. Il me suffit de le deviner. Il coince la ville que ferment, de l'autre côté, les collines ocre, mais c'est une tache noire sur le graphisme du désastre. Une zone sinistrée. Et pourtant s'il n'y avait pas le port, j'aurais quitté la ville depuis longtemps et je me serais installé à la campagne chez ma sœur qui, bien que mariée, n'a pas d'enfants. Cinq équipes, c'est dérisoire. Mais grâce à l'organisation scientifique que j'ai imposée dans tout le service, j'arrive à satisfaire les cas les plus urgents ; interventions dans les hôpitaux, les écoles, les lieux publics, etc. Cependant comme la ville s'étend à l'est et à l'ouest, la périphérie nous échappe de plus en plus. Une seule solution : décentraliser. Là encore, les autorités municipales manifestent leur désapprobation. Je n'ai pas compris pourquoi. Pourtant, je lis les journaux du matin et ceux du soir. J'essaie de coller aux réalités politiques et sociales de la cité que je protège de la voracité des rats. Il ne faut quand même pas exagérer. Les gens ne savent pas ce qu'ils veulent. Ils oublient que lors des famines, l'abondance des rats est vitale. L'histoire est chargée de tant de calamités et les rats y ont joué un rôle tellement important. Ils ont toujours été aux côtés de l'homme et leurs migrations sont parallèles aux siennes. Sans les conquêtes, les guerres, les séismes et les exodes, ils n'auraient pas quitté leur Birmanie d'origine. Il suffit de prendre une carte des invasions pour tracer avec précision l'itinéraire qu'ils ont emprunté. J'ai beau le répéter à mes employés, ils ne m'écoutent pas. Ils disent que c'est de la politique et qu'ils n'y comprennent rien. Comme si moi je me passionnais pour la politique. Pas du tout. Les harangues me laissent froid. Quand il m'arrive de lire un discours-fleuve je me rends compte que les politiciens sont des hommes seuls. Comme moi ! Je les trouve sympathiques. Juste le temps de réaliser qu'une différence nous sépare. Je revendique ma solitude. Eux, veulent y échapper. La preuve : les discours-fleuves et les bains de foule ! Surtout quand ils sont haïs. J'en ai alors pitié. Je les plains. Ils ne m'intéressent pas d'ailleurs. Je n'ai pas le temps. Les rats ne me donnent pas de répit. Où ai-je lu que dans une grande ville, ils consommaient cinq cents tonnes d'aliments par jour ? J'ai dû le noter sur un bout de papier et le transcrire sur une fiche à la rubrique : méfaits économiques. Facile à vérifier. Mon fichier est à jour. Mes petites écritures ne restent jamais plus de vingt-quatre heures dans mes poches. Il m'arrive de m'embrouiller mais je rétablis vite la situation. Clarté évidente. Il faut dire qu'avec le nombre de poches que j'ai, ce n'est pas une petite affaire que de m'y retrouver. Une vingtaine en moyenne. Hiver comme été. Plus une poche secrète que je change de place au gré des fluctuations humaines. On ne sait jamais. Méfiance. C'est la seule chose que j'ai héritée de mon père. Avec la fragilité des poumons. C'est la poche de mes émois intimes. Je les contiens. Mais ils débordent. Surtout en automne. En cette saison, la lumière bulle dans mon cerveau. Elle effrite mes artères. Je deviens poreux. Quelque peu lyrique. Je rature beaucoup sur mes petits bouts de papier au point qu'ils deviennent illisibles. C'est tant mieux. Si j'en perds un, personne ne comprendra ce que j'y ai écrit. Hiéroglyphes indescriptibles. Code fabuleux. Lieu du vertige. Autrement j'ai une écriture appliquée. Même la secrétaire la déchiffre sans difficulté. Je n'aime pas trop m'étendre sur ce sujet. C'est ma faiblesse, l'émoi. Mais une saison sur quatre. Strictement délimité et sérieusement combattu. C'est la seule maladie qui me fait consulter. J'ai des calmants pour mes langueurs automnales. Personne ne le sait, grâce à la poche secrète que je change de place tous les jours.

Déploiement circulaire de l'horizon orangé. Il pleut toujours. Derrière la vitre, la nuit tombe et se propage dans l'espace. Voilà une petite phrase à dissimuler dans la poche secrète qu'il m'arrive parfois de ne pas retrouver, tellement je suis astucieux et inventif dans l'art du camouflage. Mais c'est un jeu qui me passionne et j'y passe des heures quand je n'ai pas un livre récent ou un nouveau traité sur les rongeurs à lire. De toute manière, insomniaque. Meilleure façon de ne pas rêver et de ne pas avoir des yeux frileux, le lendemain, au bureau. Les employés n'attendent que l'occasion. Ils me guettent et sont aux aguets. Alors ! les rêves, je les esquive. La nuit, je lis, je compulse, je calcule des moyennes statistiques, je grignote quelques pois chiches, je pense à la vie merveilleuse des rats et à tous les soucis qu'ils me donnent. Aux premiers élancements, je dors une heure. Le temps de récupérer. A l'aube, je fais mes mélanges de poison quand les rats que j'élève dans ma cave dorment insouciants, gavés de friandises. Je les connais bien. Il y en a toujours un qui veille pour donner l'alerte aux autres, à la moindre tentative d'approche. Je sais m'y prendre. Je connais leur psychologie. Mes dosages sont célèbres auprès de tous les spécialistes. On m'écrit du monde entier pour essayer de m'amadouer et obtenir des informations sur ma manière de procéder, mais je reste inflexible. Comme je ne dispose que de cinq équipes, je dois déployer mon savoir et mon art des mixtions. Il y va de la tranquillité de la ville, voire de sa prospérité économique. Mais je ne veux pas tenir des discours qui pourraient être interprétés comme une tentative de politisation d'un phénomène somme toute zoologique. A part mes émois, je n'ai rien à cacher. A midi, je ne sors pas pour manger. Je m'enferme dans le laboratoire pour mon plaisir. Je reste des heures à regarder les rongeurs parcourir des labyrinthes et décrire des arabesques dont l'abstraction rend l'air comme vertical. C'est à ce moment que j'ai des remords. La guerre que je mène contre ces petits animaux si doués me désole. J'aurais préféré, certains jours, une coexistence pacifique ou, pour le moins, une trêve limitée dans le temps. Mais j'ai des supérieurs qui me contrôlent. Je ne peux rien faire qui puisse entraver la marche du service dont j'ai la lourde charge. Je suis tenu d'établir des plans rigoureux pour décimer le plus grand nombre d'animaux. Je suis à l'affût des nouveautés chimio-toxiques et des traitements d'avant-garde. En même temps je suis attendri de les voir, à la pause de midi, s'adonner à leurs jeux inoffensifs, à leurs courses délirantes. Et les mères sont patientes qui allaitent pendant dix-huit jours des portées de petits goulus, avec une douceur que n'au-rait pas une femme qui n'a qu'un seul bébé. Une rate en nourrit jusqu'à quinze à la fois ! Couleurs mates. Les mots m'écor-chent la tête. Le nacré des poils a la douceur du taffetas lisse. Je suis d'autant plus touché par ces bêtes que c'est moi qui leur confectionne des jouets avec du fil de fer. Les pères ont des yeux de faïence pour admirer l'habileté de leur progéniture. Là encore, c'est l'émoi qui m'envahit. Je n'ai pas le droit de me laisser aller. J'avoue que si cette espèce n'existait pas, ma vie n'aurait aucun sens. Je suis donc seul à assumer ma détresse. Noter cette phrase qui n'a l'air de rien sur le plus petit bout de papier qui soit et le mettre dans la vingt et unième poche.

Il pleut toujours. L'équipe n° 1 chargée de protéger le gazoduc qui passe sous la ville et amène le G.N.L. vers d'autres contrées n'est pas encore rentrée. Elle mène la vie dure à quelques milliers de rats surmulots *(rattus norvegicus)* et de souris *(mus musculus)* qui, en retour, la surmènent et, à l'occasion, mordent cruellement. C'est surtout ce gazoduc qui me préoccupe. Le moindre trou équivaudrait à une catastrophe. La ville serait asphyxiée par sa richesse la mieux convertible. La journée, à part cette attente de l'équipe n° 1, se déroule très bien. Même pas une minute pour penser à cette rencontre du matin. Rien que d'y revenir, une fraction de seconde, et j'ai le cœur gluant. Sans parler des poumons. En satin, comme ceux de mon père. Beaucoup de travail. Le temps passe trop vite. Heureusement que j'ai la nuit pour continuer mes lectures et mes recherches. J'ai quand même beaucoup de soucis. Ce n'est pas pour cette raison que je ne dors pas. Je suis né les yeux ouverts. Ma mère était catégorique. Je n'ai pas changé depuis. Je me suis fait de la méfiance un principe de vie. Moi seul suis vigilant. Tout ce qui est vital à la ville est sous ma responsabilité :

le port, le gazoduc, les silos, les châteaux d'eau et les fondations. On n'imagine pas que le chef du service de la dératisation puisse porter un si gros fardeau. Et pourtant, c'est vrai. Même si le budget qu'on m'alloue annuellement est nettement insuffisant. Avec l'inflation, les produits chimiques augmentent à une vitesse incroyable. Mais je fais preuve d'ingéniosité. J'arrive même à avoir des stocks en prévision d'une invasion massive, une année de sécheresse, de rats surmulots qui consomment quantités extraordinaires d'eau. Ce n'est pas le cas des souris, plus sobres que nos dromadaires. Il pleut toujours et la vitre se violace, tandis que l'espace est fouillé par les oiseaux et l'odeur de basilic. Au fond, je suis content. Une journée de pliée comme une serviette usée. Les fautes d'orthographe de la secrétaire, le retard de l'équipe n° 1, le cliquetis de la machine à écrire, mon propre retard de sept minutes, la rencontre de ce matin, le chauffeur d'autobus qui se plaint de la vie chère, la visite aux rats du laboratoire, le rapport sur une éventuelle campagne de propreté ; tous ces événements remplissent une journée. Une vie. Un vide. Un mot inutile. A biffer. Ou à cacher dans la vingt et unième poche, afin que personne ne sache ce que je ressens réellement. Seule doit émerger de ma personnalité ma raison sociale : chef du bureau de la dératisation de la ville. Ce n'est pas n'importe quoi. Les fenêtres deviennent couleur aubergine. Les derniers visiteurs ont des voix à l'envers. Elles parviennent jusqu'à mon bureau comme mouillées par la pluie qui continue à creuser de gros sillons sur le verre dont l'opacité s'épaissit et donne une fausse impression d'élasticité. Peut-être à cause de la buée ? Mon haleine plaquée sur un miroir. Vastes réseaux d'interférences multiples. Un autre labyrinthe sous cristal. Avec la nuit qui tombe carrément, et avant d'allumer, j'ai l'impression de ne plus avoir ni contours ni bordures. Mais quel effort pour franchir le vide qui enroule frileusement mes mots. Il ne reste plus qu'à les transcrire, avant de rentrer avec le sentiment du devoir bien accompli. Je ne me fais pas d'illusion. J'ai les veines nouées, comme soudées à l'arc dont la fluorescence bleue m'éblouit. Encore un émoi à contenir. Ne rien laisser traîner sur le bureau. Vérifier que tous les petits bouts de papier sont bien répartis dans mes différentes poches. Je ne suis pas n'importe qui pour laisser traîner mes secrets derrière moi. La nuit est tombée. Elle vient raser mes joues. Barbe moins rugueuse.

Le deuxième jour

Le vendredi est un jour volubile. Le muezzin n'arrête pas d'appeler à la prière. Je suis trop fidèle à l'Etat pour croire en Dieu. Il ne pleut plus. C'est jour de congé. Je reste chez moi. Je cherche un emplacement insolite où coudre ma poche secrète. Celle d'hier n'était pas assez camouflée. Elle me gênait lorsque je marchais un peu trop vite. Je dois avoir les testicules aussi fragiles que les poumons. Trop intime. A gommer. Il me faut vite trouver. Je ne vais quand même pas y passer ma journée. J'ai reçu l'échantillon d'un poison découvert récemment. Il a un effet très rapide. Je suis tenté de l'essayer sur l'un de mes rats. Je lis la notice qui l'accompagne : « Poison euthanasique, la scille rouge est un extrait du bulbe de la fleur communément appelée la scille. Il agit en trois temps. Tout d'abord, il endort l'animal. Ensuite, il l'assomme. Puis, il le tue. » Je trouve ce procédé très intelligent. J'ai tout de suite pensé aux condamnés à mort. Un tel poison pourrait humaniser sérieusement la peine capitale. Mais ce serait dommage. On extermine bien les rats ! En vérité, ce n'est pas mon problème. J'ai tendance à tout politiser ces jours-ci. Je ne devrais pas. Seuls les rats ont droit à toute ma sollicitude. Jour volubile. Encore le muezzin. Il ne doit pas y avoir beaucoup d'affluence dans les mosquées. Le vendredi, mes concitoyens sont trop sollicités : le football, la religion, le western et la cuite hebdomadaire. Quelques-uns arrivent à tout concilier. Les plus zélés. Ils ne sont jamais en défaut. Un de mes employés excelle dans cet art. Il est quand même sincère. Je ferme l'œil sur ses blessures du samedi matin. Il dit toujours que c'est la faute de l'arbitre. En fait, il sème la zizanie dans les bars du centre. Je ferais mieux de trouver un endroit adéquat pour la vingt et unième poche et d'aller, ensuite, expérimenter ce nouveau poison. Jusque-là, je m'en tenais aux anticoagulants lents. C'est ce qu'il y a de plus efficace si on veut tenir compte de l'intelligence aiguë du rat. Il est particulièrement doué pour subodorer toute nourriture louche et déjouer tous les pièges. Trois à dix jours pour venir à bout des plus têtus. Les souris, elles, se laissent facilement mourir. Elles se trompent plus volontiers parce que moins intelligentes. D'ailleurs le vrai danger pour le gazoduc qui passe sous la ville, c'est le surmulot *(rattus norvegicus)* capable de perforer l'acier. Lui et le rat noir *(rattus rattus)* ne peuvent rien contre la warfarine, la pindone (ou pivalyne), la proline, la fumarine, la diphacinone, la norbormide, etc. Le mélange est encore plus efficace. C'est mon affaire. Il ne s'agit pas de combiner n'importe quoi avec n'importe quoi. L'art est dans le dosage. Il n'y a que moi qui connais les proportions, dans toute la ville. C'est moi qui fais les préparations. Les ouvriers n'ont plus qu'à les répandre. J'ai mes habitudes et je répugne à en changer. Je reste très sceptique devant ce nouveau produit (la scille rouge). Il fait bucolique. Voire poétique. Il faut quand même essayer. Un kilo de scille rouge dans vingt kilos de farine. De farine ! Les laboratoires étrangers ignorent décidément nos réalités. Nous nous contentons d'ajouter le poison à l'eau. Un kilo de poison. Vingt litres d'eau. Et déjà ce n'est pas toujours facile d'en trouver. La ville en manque. A cause des paysans qui ne veulent pas travailler la terre. Ils préfèrent l'odeur du néon et la couleur de l'asphalte. Les ablutions aussi y sont pour quelque

chose. Mais là, je m'avance trop. J'exa-
gère.

Je suis sorti faire quelques courses,
après avoir cousu ma poche secrète en un
endroit particulièrement difficile à déce-
ler. J'avais besoin de marcher et d'acheter
de la menthe, avant de procéder à l'expérimentation de ce nouveau produit. Je me
sentais alerte. C'est à ce moment-là que je
l'ai aperçu qui avançait derrière moi. Je
ne me suis pas arrêté. Il a continué à me
suivre. J'ai accéléré le pas et j'ai eu l'impression qu'il faisait de même. Je ne veux
pas être trop catégorique de peur de me
tromper. Surtout que la vibration de l'air
me striait l'œil droit, celui avec lequel je
suivais discrètement le manège du gastéropode. Je n'ai plus voulu me retourner
jusqu'à chez moi. J'ai longtemps réfléchi
avant d'aller rendre visite à mes rongeurs.

En rentrant dans la cave, je me suis dit
qu'à bien y penser, la sonnerie du téléphone me manquait, ainsi que le cliquetis
de la machine à écrire et les voix éplorées
des femmes des bidonvilles dont les bébés
ont été lacérés par des rats. J'examine les
murs un à un. Des plaques de moisi
éclatent çà et là comme des cratères verts
et bruns. L'humidité fait des ravages mais
les rongeurs aiment cette atmosphère. Ils
sont dans leur élément. En me voyant

venir, certains se sont dressés sur leurs pattes de derrière. Les petits ont cessé de téter leur mère. Le plus vieux a ouvert un œil. Il est sur ses gardes. Il fait semblant de se lécher les babines. Je continue à examiner les parois tout en restant dans le cercle de lumière blanche que projette une lanterne scellée au plafond. Je n'arrive pas à me décider. Pour gagner du temps, je me mets à toucher les plaques d'humidité avec la paume de la main droite posée à plat sur les minces excroissances saillant du mur, grenues et lovées sur elles-mêmes avec parfois, des débordements dessinant des carrés et des losanges alors que la forme dominante est le cercle. Le lacis de lignes enchevêtrées les unes dans les autres me fascine et m'éloigne de mon expérience. C'est sur le plus vieux que je veux essayer ce poison euthanasique arrivé la veille par la poste et envoyé comme échantillon par une maison étrangère. Mais je n'en ai pas le courage. Peut-être suis-je perturbé par le comportement bizarre du gastéropode entêté. Je me suis dit que je devrais dormir un peu plus, au lieu de lire toute la nuit. Ma sœur a raison. Je me fais vieux. Je n'ai plus quarante ans. Il me faudrait dormir un certain nombre d'heures.

Fiche n° 103 : « Là où l'homme s'établit,

il y a des rats. Venu d'Asie, ce rongeur a suivi la route des invasions. En Amérique, il n'y en avait pas. Ce sont les Européens qui l'ont amené avec eux au XVIIᵉ siècle. Ce n'est pas le rat lui-même qui est vecteur de maladies, mais une puce qui vit dans son pelage et qui propage la peste noire, le typhus, la dysenterie, la tularémie, le sodoku, la leptospirose, la rage, la trichinose et la salmonellose. »

Cette fiche, je la connais par cœur. Je me la répète pour avoir le courage d'essayer ce nouveau poison euthanasique et sans douleur sur le vieux rat. Il est ici depuis longtemps. Il se fait ridé et ne se réveille de sa somnolence que pour jouer avec les plus petits. N'empêche que si on le laissait faire, il irait semer la mort dans des populations entières. Au fond, je préfère réaliser mon expérience au laboratoire du centre. Les rats qui y sont élevés me sont moins attachés. Il y a tant de gens qui les manipulent. Même la secrétaire va les voir et leur apporte de la salade. Elle en a peur mais c'est plus fort qu'elle. Elle est morbide et les prend pour des lapins. Mais eux sont prêts à tout dévorer. Une fois, ils ont avalé un petit bout de papier que j'avais mis dans la poche secrète cousue, ce jour-là, au bout de la manche gauche. Il s'agissait d'un papier-émoi. J'en ai rougi. Le laborantin prit ma confusion pour de la colère. J'ai eu honte. La note en question portait l'inscription suivante : 3 h 12 : pollution nocturne. C'est trop intime. Trop dégoûtant. Ce genre d'accident m'arrive si rarement ! Je crois que c'est depuis ce jour que j'ai décidé de ne plus manger de viande. La chair rend voluptueux. La sensualité c'est ce qui mine l'humanité de l'intérieur. Elle débouche toujours sur la reproduction et la terre se rétrécit. Ce n'est pas ma faute si l'espace vital va manquer dans les années qui viennent. Ce n'est pas moi non plus qui irai faire des enfants à une femelle excitée ! Mais je radote au lieu de prendre une décision. Il vaut mieux attendre demain pour essayer la scille rouge sur un rat et une souris de laboratoire. L'idéal serait même de faire un essai sur chaque genre de l'espèce, soit six essais en tout, puisqu'il y en a six différents.

1º - Rat surmulot *(rattus norvegicus).*
2º - Rat noir *(rattus rattus).*
3º - Souris *(mus musculus).*
4º - Souris des bois *(peroneycus sp.).*
5º - Campagnol *(microtus sp.).*
6º - Souris sauteuse *(zapus sp.).*

Je m'occuperai de cette opération à la pause de midi. Je serai seul et n'aurai pas les laborantins sur le dos. Ils ne savent rien faire d'ailleurs. La routine les gâte. Aucun esprit d'initiative. Mais dès que je décide quelque chose, ils me critiquent. Ils n'insistent même pas beaucoup. Ils me connaissent. Je sévis impitoyablement.

Vendredi soir, jour de congé. Jour tranquille. Je n'aurais pas dû sortir. Maintenant, c'est trop tard. Il m'a vu et il m'a suivi. La mosquée est en contrebas de la rue. Neuve et rutilante. Moderne pour tout dire ! A nouveau l'appel. Elle a un minaret. Et un escalier qui y mène. Ils ne servent à rien puisque la voix du muezzin est diffusée par haut-parleur. Il n'y a plus besoin de minarets dans les mosquées. Les mauvaises langues disent que c'est un disque importé d'Egypte qui remplace la voix du muezzin. Il n'a plus qu'à brancher l'électrophone. C'est quand même du gaspillage. Ce n'est pas une critique des autorités municipales mais il vaudrait mieux construire des mosquées sans minarets pour augmenter le budget du centre de dératisation. De cette manière Dieu serait content et moi aussi ! En ce qui me concerne je suis trop fidèle à l'Etat pour croire, mais je comprends le besoin de religion chez les masses. D'ailleurs, ce sont les architectes qui ne sont pas visionnaires. Les mosquées de demain n'auront pas de minarets. Avec les progrès de l'acoustique, c'est inéluctable! Si je n'étais pas sorti, je ne serais pas à faire des critiques qui ressemblent beaucoup à du dénigrement. Tout ce passage est à biffer. Il n'est pas digne d'un fonctionnaire modèle d'avoir si mauvais esprit. Il s'agit d'un malentendu. C'est cette tension permanente qui me rend aigri. Le malaise sera dissipé avant la tombée de la nuit. J'ai tellement à faire que je vais oublier l'incident de ce matin. Malgré tout, le bureau me manque. Peut-être que j'ai tendance à trop écrire les jours de congé. A ressasser le passé. A penser à ma mère. A sortir la boîte à chaussures où je camoufle ses photos. La nostalgie, c'est la poisse! Elle n'aimait pas. C'est pour les femmes et les tuberculeux. Il est vrai que j'ai les poumons fragiles. Comme mon père. Ma mère disait le fils du rat est un rongeur. Elle avait raison. C'est tout ce qu'il a trouvé à me laisser en héritage. Beau cadeau! Il était quand même méfiant. Sur ce point, je tiens de lui. Oui, il vaut mieux raturer ce que j'ai écrit sur l'architecture des mosquées. Il ne faut pas hésiter. Le vieux rat, lui, me fait de la peine. Je crois que je le laisserai mourir de sénilité. Ce n'est pas lui qui ira faire des dégâts dans les silos où on engrange les réserves de

grains de la ville ni endommager le gazoduc qui vient du désert. Le retard d'hier a
été largement compensé. Pour sept minutes j'ai donné trois heures. Si tous les
fonctionnaires se comportaient de la sorte,
la cité serait un peu plus propre et les
caniveaux moins puants. Il est vrai que les
jours de pluie j'hésite à sortir. D'ailleurs
j'avais comme une appréhension. Quelque
chose de diffus. Je n'ai pas eu tort. Il était
bel et bien là. Non, la scille rouge il faut
l'expérimenter sur les rongeurs du laboratoire. De toute façon, dans la cave, je
n'élève que des rats noirs. Hier, il a plu à
torrents. Toute la journée, et sans discon-
tinuer. Pluie d'automne. Mauvaise saison
pour moi. Il y a trop d'abstraction dans
l'air. Les formes grouillent. Les vitres
deviennent des miroirs bombés. L'air est
mouvant. La verdure brouillée. Résultat :
une pollution nocturne. Je comprends les
habitants d'Uqbar — une ville d'Irak —
qui au VIIe siècle musulman avaient orga-
nisé un Etat indépendant. Ils avaient
banni de leur vie les miroirs et la copulation parce qu'ils multiplient le nombre
des hommes. Se méfier, aussi, des
miroirs !

En fait, je ne suis pas d'accord avec les
chercheurs qui gâchent leur talent à fabriquer des poisons de plus en plus efficaces

contre les rats. Si l'avenir est aux mosquées sans minarets, la lutte contre les rats passe par la génétique. J'ai noté un jour sur une fiche ce qui suit : « On entrevoit une possibilité intéressante dont on n'a pas encore compris toute l'importance. Il s'agit d'une technique révolutionnaire dans la lutte contre l'espèce malfaisante des rats. Cette technique n'a pas encore été examinée avec toute l'attention nécessaire. Elle consisterait à régler l'ovulation des rongeurs en mettant des hormones sexuelles dans leur nourriture. Ce qui réduirait leur capacité de reproduction et l'espèce n'aurait plus de conséquences sur l'économie, jusqu'à l'extinction totale, dans quelques siècles, si la lutte est maintenue d'une façon exemplaire. » J'ai lu cet article, il y a quelques mois. Je l'ai aussitôt résumé et mis en fiche. C'est là que se trouve la clé du problème et nulle part ailleurs. Que d'économies réalisées ! Economies sur les moyens utilisés dans la lutte. Economies sur les dégâts occasionnés par les rongeurs. Enfin d'autres encore faites sur les pertes occultes dues, en dernier ressort, au rat. Il est vrai que dans ce cas, le centre de dératisation n'aurait plus lieu d'exister. C'est un risque que j'accepte de courir. Si j'arrive à mes fins, je serai — peut-être — proclamé fonctionnaire exemplaire et cité dans les manuels scolaires. Mais là, je fabule. Je me laisse aller à des considérations trop optimistes. Par contre, je maintiens que l'avenir de la dératisation réside dans les hormones sexuelles et les moyens que l'on doit utiliser pour faire baisser la reproduction chez les rongeurs. En attendant, un seul slogan est réaliste : 5 000 000 de rats menacent la survie de la capitale. Les masses ont besoin de simplification et l'émotivité fait le reste. D'ailleurs, cette campagne de propreté que les autorités municipales veulent lancer va coûter beaucoup d'argent. Elles feraient mieux de le verser au budget du centre de dératisation. J'aurais dix équipes d'intervention au lieu des cinq qui existent actuellement et qui ne suffisent pas à la demande. On a beau faire, la périphérie s'éloigne du centre. En voilà une phrase efficace. A noter sur un bout de papier. Aujourd'hui, j'ai le temps de les mettre au propre. C'est vendredi. Jour de prière. Si le coût de la nouvelle mosquée m'obsède, c'est que j'ai donné de l'argent pour son édification. Tous les gens du quartier l'ont fait. Je ne pouvais pas refuser. J'ai même donné l'exemple. J'ai fait du zèle pour être bien vu par mes supérieurs puisque la liste des généreux donateurs a été publiée dans tous les journaux de la ville. Toutes mes économies y sont passées. Pour l'usage que je vais en faire de cette mosquée! Enfin. Donc, la périphérie s'éloigne du milieu à une vitesse extraordinaire. Aussi concentrons nos efforts sur le centre de la ville où se multiplient les restaurants, les pâtisseries et autres magasins d'alimentation. Il s'y développe des foyers de rongeurs et des vecteurs de propagation de certaines maladies capables de devenir très rapidement endémiques. Les nuisances économiques consécutives à cette situation peuvent atteindre des sommes astronomiques et freiner, du coup, le taux d'accroissement du produit national brut.

Jour de congé. Le quartier est tranquille cet après-midi. Je n'ai pas besoin de mettre du coton dans mes oreilles. J'aime ma solitude. Ma mère disait les fréquentations sont mauvaises et la gale est contagieuse. Les garnements sont partis dès le matin au stade, pour pouvoir resquiller. Certains jours je me dis que j'ai de la chance. Grâce au football, les après-midi du vendredi sont paisibles. L'été, c'est la mer qui les éloigne. Je n'ai pas trop à me plaindre. Il est vrai que j'habite un quartier résidentiel. Certes, les conditions de vie s'y sont dégradées et il n'a plus rien de particulier. Mais j'y reste. Ailleurs, les conditions sont pires. En termes scientifiques, on appelle ce phénomène la démographie. Je préfère parler des désastres de l'amour. Je l'ai noté sur un petit bout de papier. Il fait beau. Je n'aurais quand même pas dû sortir. Malgré le calme, le beau temps et le travail très soigné que je suis en train de faire, j'ai l'impression que ma journée est gâchée. Toute une vie consacrée à améliorer les conditions d'hygiène de mes concitoyens. Et pour me remercier, ils ne cessent pas de faire des enfants! Ma mère avait raison. Juste de quoi perpétuer la race. Le reste, c'est du lyrisme. Les désastres de l'amour. Chez les rats, les mâles sont très tendres avec les femelles. Et la couvée des petits! Un modèle... A donner en exemple aux mères du quartier qui lâchent leur progéniture dans la rue avant qu'elle ne soit sevrée. Je ne m'ennuie jamais. C'est le jour où je lave mon linge. Trop méticuleux pour le donner à une laverie. C'est aussi le jour où je fais le ménage à fond. Personne n'est jamais entré chez moi. Je me méfie trop des bonnes. Je tiens de mon père. Elles sont curieuses et voleuses. Au lieu de nettoyer, elles mettraient du désordre dans mes papiers. Même ma sœur n'est jamais entrée chez moi. Elle habite trop loin. C'est moi qui vais la voir, quatre fois par an. Le premier vendredi de chaque saison. Jamais les jours de fêtes religieuses. Je la désole mais elle respecte mes principes. Elle dit que c'est la faute de mes poumons si je ne crois pas en Dieu. Je ne veux pas la contrarier. Elle ressemble à ma mère. Les mêmes yeux. Les mêmes cheveux. La même peau. Sauf qu'elle a une jambe plus petite que l'autre. Elle claudique à peine. Elle n'aime pas que je fasse le ménage ni que je lave mon linge. Elle répète que c'est un travail de domestique. Elle a raison. Mais la seule idée qu'une femme puisse toucher un de mes vêtements me donne la nausée. Quand il m'arrive d'avoir des pollutions nocturnes, je me débarrasse des vêtements que je portais cette nuit-là. Je les brûle dans le jardin. Heureusement, ce genre de choses ne se produit que rarement, sinon je ne sais pas comment je ferais. Ce n'est pas mon salaire de chef de bureau de la dératisation qui me permettrait de faire des folies. Bref. Jour de congé. L'après-midi est tranquille. Je n'ai rien mangé aujourd'hui. Un verre de thé à la menthe, toutes les heures. Je me contente de peu. C'est pour acheter de la menthe que je suis sorti ce matin. Je ne peux quand même pas m'en passer. J'ai fini par me décider à épargner mon vieux rat. C'est vrai que ma sœur est infirme. A peine : les gens ne s'en aperçoivent pas. Je devrais le noter sur un petit bout de papier et le mettre dans la poche des émois. Ce n'est que la nuit, très tard, que je mets en ordre les notes de ce genre. J'ai tendance à oublier que ma sœur est boiteuse. Peut-être parce qu'elle ressemble tellement à ma mère qui, elle, ne boitait pas. Je vis seul. Je n'ai pas d'amis. Quel bonheur ! Ma mère disait les fréquentations sont mauvaises et la gale est contagieuse. Quand je vois les autres s'entasser avec des marmailles indociles dans des espaces réduits !

Je pense à ma chance. Je la dois à ma mère. J'ai une petite maison pimpante. Un jardinet que je soigne amoureusement. A biffer. Un travail passionnant. Un dévouement infaillible à l'Etat. Je préserve jalousement ma retraite. Surveille mes poumons de près. Ne m'ennuie jamais. Les réseaux refroidis de la solitude je les ignore. Les autres me dégoûtent. La musique me donne des maux de tête épouvantables. Je vis, chez moi, dans la béatitude du silence. Il n'y a qu'au bureau que j'ai les veines rongées. Mais j'avoue que le cliquetis de la machine à écrire, la sonnerie du téléphone et les voix comme à l'envers (les jours de pluie) des solliciteurs, me réconcilient avec le monde.

D'autant plus que les soirs sont beaux, observés de mon bureau. Ils tombent si mollement sur le jardin, que je me sens défaillir. Gommer les deux dernières phrases. Trop ambiguës! Si je continue de la sorte, je vais finir par sortir ma boîte à chaussures avec les photos de ma mère et de moi, bébé. Je n'ai pas envie de pleurer ce soir. J'ai trop à faire. Regarder les photos est une occupation privilégiée. Je ne dois pas en abuser. Sinon, je risque de perdre de vue l'essentiel : la lutte contre les rongeurs nuisibles.

Un jour, j'écrirai un livre sur les bienfaits du rat. Je l'ai déjà dit quelque part. Les gens ne savent pas ce qu'ils veulent. Les pays où la famine sévit à l'état endémique me comprennent. En ce cas, cet animal joue un rôle positif. Lors des séismes aussi. C'est lui qui donne l'alerte. Il est intuitif. C'est pourquoi il me cause du souci. Lutter contre un être aussi doué n'est pas de tout repos. Les anciens Grecs en tenaient compte. Dès qu'il disparaissait d'une ville, ses habitants en déménageaient promptement. Un peu plus tard, elle était dévastée par un tremblement de terre. Un rat est un sismographe! Et on pourrait faire des recherches pour trouver d'autres qualités à ces rongeurs. Mais les préjugés sont tellement ancrés! Les gens

ne savent pas ce qu'ils veulent. Ils ignorent l'histoire. Pas moi. J'ai déjà noté
quelque chose, à ce sujet, dans une fiche.
Rubrique : « Le rat dans l'histoire. »
Fiche n° 154 : « Le 26 novembre 1870,
l'Académie des sciences de Paris décidait
que le rat pouvait être admis, sans préjugés, dans l'alimentation de la capitale. Le
chien, le chat et le rat furent examinés à
toute sauce dans un banquet de savants et
couverts d'acclamations. Il se trouva
même un statisiticien capable d'établir
que Paris possédait en moyenne 35 000 000
de rats. Ce petit quadrupède devint aussitôt l'objet d'une active industrie. Son prix
variait selon la grosseur de vingt à vingt-
cinq centimes. Il s'éleva plus tard jusqu'à
quatre francs la pièce. » Certainement
qu'à cette époque, en Europe, on n'avait
plus besoin de dératiseurs. Il faudrait
peut-être suggérer, dans mon rapport sur
la prochaine campagne de propreté, la
nécessité de combattre les préjugés dont
est victime ce mammifère. Mais à coup sûr
c'est trop violent. Encore une suggestion à
laquelle il faudra renoncer. Je suis certain
que les matériaux ne manquent pas pour
un tel ouvrage. Il suffit d'être patient et de
lire des livres d'histoire. En attendant, je
dois donner à manger à mes cobayes. Dire
que je n'ai plus le courage de les empoi-

sonner... Je me fais vieux. Ferais-je un transfert affectif ? Quelle décadence ! Encore une tendance à combattre. Le temps passe trop vite. Je n'arrête pourtant pas. Hier, je n'ai même pas dormi. Aujourd'hui, je n'ai pas envie de manger. Insomniaque. Anorexique. Je suis comblé. Je n'ai pas fermé l'œil. Je suis resté toute la nuit à classer mes fiches. Au matin, le bleu de l'aube était fluide. A noter. C'est précieux une phrase pareille.

Je me sens envahi par la sérénité. Mais l'envie d'aller ouvrir la boîte à chaussures où sont rangées les photographies qui me sont chères me lancine terriblement. Je crois qu'avec cette idée de livre sur les bienfaits du rat, j'ai ouvert une brèche dans la zoologie classique. Une telle thèse est révolutionnaire mais pas facile à prouver. Cependant, je me connais. J'ai la patience du cactus. C'est ce que disait ma mère quand elle voulait me flatter. Elle était sûre que je réussirais dans mon métier. Je fais tout pour ne pas la démentir. J'ai donné ma vie pour bien faire mon travail. Je laisserai quelque chose aux générations futures. Les premiers bruits du matin me parviennent comme lissés par la brume qui se met à envahir la rue et le jardinet. Soyeux. Pelucheux. C'est le mot que je voulais écrire. C'est bien ça :

pelucheux. Tout y est. Pas la peine de faire des redondances. Il se suffit à lui-même. Ma mère était confiante. Je ne l'ai jamais déçue. De son vivant comme après sa mort. Elle était sûre de ma réussite. A vrai dire, j'eus la vocation précoce.

Le troisième jour

Aujourd'hui je suis arrivé à l'heure à mon bureau. Il pleut à nouveau. Les employés n'ont pas regardé l'horloge. Ils n'étaient pas encore là. J'ai pris l'autobus de 8 h 30. J'ai bien fait. Je ne peux supporter plus d'un retard par semaine. Le chauffeur du vieux tabernacle est muet. Je crois qu'il est même chauve. Je ne le jurerai pas puisqu'il porte une casquette réglementaire. Ma mère disait la tête du chauve est proche de Dieu. Cet homme a l'air très convenable. Il ne se plaint jamais de la vie chère et sait se sortir d'un embouteillage. Bien que je sois venu à l'heure, je n'aime quand même pas les jours de pluie. Les enfants sont plus cruels et la circulation plus dense. Je ne l'ai pas vu. J'ai bien regardé pendant tout le trajet qui va de chez moi à la station. Rien. Pourtant, il pleut à torrents. Le jardin est méconnaissable tellement il regorge d'eau. L'idée qu'il est là sans que je puisse l'apercevoir me rend nerveux. C'est pire que lorsque je le vois. Au fond, je préfère affronter le danger de face. Il se comporte comme la secrétaire : il me nargue. Il se joue de moi. C'est épouvantable. J'ai failli revenir sur mes pas. Regarder partout. Fouiller dans le jardin. Mais j'ai eu peur d'être en retard. J'ai choisi de me presser. Du coup, j'ai évité les bavardages du chauffeur de l'autobus de 8 h 45. C'est vrai qu'il n'est pas chauve. J'en suis certain. Il ne garde jamais sa casquette sur sa tête. Il fume, par-dessus le marché. Je suis arrivé avec quelques minutes d'avance à mon travail. J'ai vérifié la propreté des lieux. Les femmes de ménage font mieux leur besogne. Elles commencent à prendre exemple sur moi. La première chose que j'ai faite en entrant dans mon bureau fut de placer mon dispositif : entre moi et les rares visiteurs que je reçois, je mets un immense calendrier que je coince entre deux dictionnaires. L'un de zoologie. L'autre de vocabulaire. De cette manière, ils ne peuvent pas me regarder dans les yeux. Moi, je voyage dans le temps. Je lis et je relis les mois et les jours. Mais je ne perds rien de ce qu'ils me disent. Cette manière de couper les ponts les rend plus concis. Je les déroute avec mon calendrier. Ils ne se donnent pas en spectacle et n'étalent pas leur panique. Grâce à ce morceau de carton posé sur le bord de mon bureau et coincé avec mes deux dictionnaires, ils ne peuvent pas me dévisager. En même temps, ils restent dignes. Chacun sa place. Je limite les familiarités. Je suis quelque peu nerveux. Pourtant mes fiches sont en ordre. Hier, j'ai pu travailler tranquillement. Les amateurs de football sont rentrés silencieusement. Leur équipe a perdu. Heureusement pour moi. D'ailleurs, elle perd toujours. Les rares fois où elle gagne, le retour du stade est un vrai cauchemar. Je mets du coton et je descends dans la cave m'occuper de mes rongeurs. Le jour de congé a été profitable. Je suis arrivé un petit peu en avance. Le chauffeur du bus n'a pas pipé mot, tout le long du trajet. J'ai même eu une place assise. Pourtant, je suis nerveux ce matin. C'est peut-être parce que je ne l'ai pas vu. C'est étrange. J'ai presque du chagrin. C'est une faiblesse. Ma mère n'aurait pas aimé un tel comportement. Elle disait l'anxiété c'est pour les femelles et les malades des poumons. L'impression que le danger est imminent. Cette histoire de chagrin n'est pas de mise. A raturer ou à cacher dans la poche des émois. On me paie pour protéger la ville des mammifères insidieux et non pour étaler mon angoisse. Je dois avoir les gestes drus des jours ordinaires.

Le rapport de l'équipe n° 1 est sur mon bureau. Il décrit certains indices préoccupants relevés sur un tronçon du gazoduc situé au nord-est. Il fait état de l'existence d'une grosse bande de surmulots qui répand la terreur dans le sous-sol où passent les canalisations de gaz. L'équipe a découvert des centaines de cadavres de rats noirs et de souris décimés par les plus voraces. Les traces laissées par les gros rats ne mènent nulle part. Ils savent brouiller les pistes. La dose de raticide a été doublée. Tous ces signes sont très inquiétants. Mon anxiété redouble. La pluie aussi. Il va falloir établir un plan de guerre pour venir à bout de cette horde qui impose sa loi, cherche à percer le gazoduc et se joue du mélange de warfarine, de pindone, de proline, de fumarine, de diphacinone et de norbormide confectionné par mes soins. Il va falloir utiliser les gros moyens. A moins que ce document ne soit qu'un ensemble de fausses nouvelles pour expliquer le retard de l'équipe et me tourmenter. Jusque-là le gazoduc a été bien protégé. Si les surmulots se mettent à me narguer, alors là, je suis dépassé. J'aurais pu le lire plus tard, ce rapport. Mais non ! Je suis harcelé. Ecrasé par une telle responsabilité. Qui va m'aider dans cette tâche ? Personne ! Si une catastrophe se produit, on me fera passer devant une cour martiale. Je n'ai pas peur de la mort. Mais tant d'efforts pour rien. En attendant, il va falloir agir. Abandonner les anticoagulants et utiliser un mélange de poisons rapides et de poisons fumigènes. Je connais la recette. Cette fois-ci, j'emploie les grands moyens. D'un côté une addition d'alphachloralose, de strychnine et de phosphore de zinc, de A.N.T.U., de composé 1080 et de sulfate de thallium. De l'autre une addition fumigène de bromure méthylique, d'acide cyanhydrique, de monoxyde de carbone et de cyanure de calcium pulvérisé. Avec un tel dosage, il y a de quoi exterminer une ville entière. Fébrilité des grands jours. Ne plus rien noter jusqu'à ce que la situation redevienne normale autour du tronçon nord-est du gazoduc. Aucun repos. Réunion générale d'urgence. Même les plantons doivent être présents. Pour ne laisser aucune chance à ces rats, il faudra ajouter à cette composition une grande quantité du produit que je viens de recevoir. La scille rouge. Quel nom idiot ! Il fleure le sous-bois. Une fois les lieux assainis, il faudra lancer dans le souterrain une escouade de chats, de belettes, de couleuvres, de hiboux, etc. Tout ce qui a la haine des rats. Les grands moyens ! Que personne ne s'amuse à venir en retard. Je le renvoie immédiatement. Mieux, je le verse dans l'équipe n° 1.

Certes la situation est grave. Ces traces décelées sur le gazoduc vont m'occuper plusieurs semaines. Mais il faudra continuer à faire les gestes réfléchis des jours ordinaires. Aller voir moi-même. Il pleut toujours. Pénétrer dans les égouts verdâtres, visqueux, squameux. Barboter dans la gadoue et observer méticuleusement chaque partie du gazoduc qui zigzague à travers des kilomètres et des kilomètres dans cette obscurité fétide et gluante. Avancer au milieu des vibrations métalliques et des harcèlements ferreux desséchant la gorge, piquant les yeux. Risquer d'attraper quelques ganglions buboniques qui pourraient corroder mes cellules, une à une, et les détruire, après ce qu'on appelle une longue maladie. C'est mon devoir de fonctionnaire modèle. J'aurais droit à des funérailles nationales. Mais après avoir nettoyé le secteur. Mes mixtions sont célèbres chez tous les spécialistes de la toxicozoologie. Je n'ai aucun souci à me faire. J'ai une poche secrète dont j'ai encore changé l'emplacement, hier. Si seulement je l'avais vu. Pourtant je me suis retourné plusieurs fois. Rien remarqué. Se serait-il lassé ? J'ai aussi ma boîte à chaussures qui pourrait me procurer de grandes satisfactions. Les rats, je connais. J'ai eu la vocation précoce. Ma mère disait la tête du chauve est proche de Dieu. Comme je ne suis pas chauve, je suis loin de lui. Mais j'ai la patience du cactus. J'en viendrai à bout. Même le vieux rat qui coule des jours paisibles dans ma cave sera immolé. On ne badine pas avec un gazoduc !

Solitude du matin. L'équipe n° 1 renforcée par quelques techniciens est repartie, pourvue de tous les mélanges que j'ai méticuleusement préparés. Des signes terrifiants me traversent la tête. Formes extravagantes dont l'importance ne m'échappe pas. D'autant plus qu'elles explosent au niveau des tempes selon un mouvement brownien et répétitif. Ensuite elles s'amenuisent et se réfractent ou se boursouflent et se dédoublent. Rythme halluciné. Si encore je l'avais vu. Eclatements d'éclairs brillants, violacés — bleus et orangés. Je suis même arrivé avec quelques minutes d'avance au bureau. Les employés n'ont pas regardé l'horloge. Ils n'y étaient pas encore. La secrétaire, non plus, n'a pas souri. Elle n'était pas encore là. Multitude de lignes de toutes les couleurs. Foisonnements et zigzags incessants entamant ma volonté de continuer la lutte. D'autant plus qu'une somnolence menace. Moi, l'insomniaque. Idées brouillées et emmêlées dans ma tête comme dans une pelote de laine grège. Je ne peux pas résister à l'envie de noter cette dernière phrase sur un tout petit bout de papier. En abrégé, s'il le faut. A mettre dans la poche des émois. Solitude du matin. Il pleut, bien sûr. Mais garder les gestes mûrs des jours de chagrin et les gestes vigilants des jours de pluie ! Que la nostalgie ne me prenne pas. J'ai la charge trop lourde. Impression affolante, chromatique, vibratoire. Ellipses mouillées tamponnant mes yeux comme de l'ouate verdie. La scille rouge me sauvera la vie. Sinon, c'est le désastre et l'enfermement. Je risque gros. A moins que la crue n'épargne personne. Mais les rats savent nager. Ils ont déjà traversé des océans grands comme ça. Jour de pluie. Il fait sombre. Mon calendrier ne me sert à rien. Je ne veux recevoir personne. Allumer, alors qu'il n'est pas encore midi. Solitude du matin. Avec la lumière, c'est aussitôt une accumulation d'ondes électromagnétiques se réfractant contre mes yeux, se télescopant contre ma tête. Sensibilité fade. A obturer. Taches et halos. Fluorescence automnale du jardin. Peinture à l'eau. Mouvance. Palpitations. Fleurs-nageoires. Somnolence. Moi, l'insomniaque ! Le rapport m'a fripé les vertèbres. Je me laisse aller. Mais le vrai problème est ailleurs. Je ne l'ai pas vu ce matin. Malgré le jardin gorgé d'eau, les caniveaux charriant des milliers de mètres cubes et l'inondation. L'opacité du jour a une épaisseur inhabituelle. Noter toutes ces impressions. Le pire, c'est que je n'ai même pas peur. Seulement dérangé dans quelque trou de moi-même. Il est vrai que j'eus la vocation précoce. Un temps à l'odeur de formol. Fermentation à l'intérieur de mes poumons fragiles. Levure des mots, même ceux à gommer, à biffer, à raturer, à briser. L'accord des bruns et des verts, un autre levain qui gonfle dans les artères et fuse à travers les vitres. Envie d'aller chercher la boîte à chaussures. Mais à quoi me sert-il d'avoir eu la vocation précoce ? Ma mère disait.

La ville dégringole du sommet de la colline vers la mer. Elle déclive. Possède un grand port et deux cimetières. Dans l'un d'entre eux repose ma mère. Morte à quatre-vingt-dix ans. Je n'ai jamais su où était enterré mon père. Son épouse ne lui avait jamais pardonné sa tuberculose contractée, tout jeune, en faisant la guerre dans un pays étranger. En attendant, j'ai la responsabilité de ce port, des silos, des châteaux d'eau, des deux cimetières et surtout de ce gazoduc qui vient de loin et va très loin, grâce aux tuyaux envasés comme des entrailles un peu moisies. Le sous-sol pue le méthane fade. J'ai déjà inspecté plusieurs fois cet objet d'art dont toute la ville parle mais que personne ne connaît. Sinon moi. Et les membres de l'équipe n° 1 chargée d'empêcher les surmulots de le percer. Mais, avec tous ces mélanges, le danger est circonscrit. Rester vigilant et dédramatiser la situation. C'est la pluie qui m'éprouve. Mauvaise saison. Plutôt pernicieuse. Dire que j'ai failli renoncer à l'écriture et à la vingt et unième poche. Sans mes petits bouts de papier, je ne saurais vivre. Sans rats, non plus ! Ce n'est pas moi qui irai m'établir dans la province canadienne de l'Alberta (capitale Edmonton), unique région au monde où il n'y a ni rats ni souris ni campagnols ! Maintenant que je suis plus calme, je me rends compte que le bonheur se résume d'une part à gribouiller sur des petits bouts de papier répartis dans vingt et une poches différentes selon des rubriques spécialisées, transcrits le soir ; d'autre part à mener une lutte sans merci contre les rats. Le rapport trouvé tout à l'heure m'avait fait perdre mon calme. A savoir si toute cette affaire n'a pas été montée par le chef de l'équipe n° 1. Il ne m'aime pas beaucoup et je le lui rends bien. Ce n'est pas à moi qu'il doit sa place de chef, mais à un de ses cousins, très haut placé et qui me l'a vivement recommandé. Je ne pouvais faire autrement que de l'accepter. J'ai le sens de la discipline. J'ai toujours été un fonctionnaire docile. Je n'aime pas le népotisme et je ne le pratique pas pour la bonne raison que je n'ai aucun parent. Ma mère a bien fait les choses. A la mort de mon père, elle a coupé le pont avec la famille de son mari, avec la sienne aussi. Elle a changé de ville tout de suite après l'enterrement. Mais le cousin du chef de l'équipe n° 1 est un homme qui occupe un poste important dans la hiérarchie municipale de la ville. J'ai obéi. En fait sa lettre était pleine de menaces allusives et d'allusions menaçantes à mes petites notes intimes et à mon fichier camouflé chez ma sœur. Je n'ai pas insisté. De toute manière comme je ne fais pas de politique, je n'ai pas à juger si de telles pratiques sont honnêtes ou immorales. Il se peut donc que ce rapport ne soit qu'un tissu d'affabulations pour m'effrayer. Demain, j'irai vérifier sur place les affirmations du chef de l'équipe n° 1. S'il a menti, j'étoufferai l'affaire. Son cousin est très haut placé. Au fond je suis malin et sais contre qui sévir.

Lorsque je prendrai ma retraite, ce n'est pas en Alberta-Edmonton que je ferai des séjours touristiques. Les rats me manqueraient. Des rapports très scientifiques et très sérieux sont catégoriques au sujet de l'inexistence de tels animaux dans cet Etat de l'Ouest canadien. Les autorités devraient m'y envoyer en stage. C'est peut-être la présence de quelques Indiens, encore en vie, qui fait fuir les rongeurs. Ne pas oublier que ce sont les Européens qui les ont amenés avec eux au xviie siècle. J'ai déjà dû le noter quelque part. Pour bien me calmer, je vais feuilleter le dictionnaire de vocabulaire. C'est une occupation extrêmement prenante. J'aime connaître le sens exact des mots. Les nuances, aussi petites soient-elles, me fascinent. C'est là que vacille le réel. Il pleut de plus en plus fort. Je resterais des heures à regarder défiler les mots... mais je n'arrive pas à comprendre pourquoi il ne s'est pas manifesté aujourd'hui. Je suis pourtant parti à l'heure de la maison. Il aurait dû être là. Dans le jardin. Agressif. Les deux cornes croisées. Il croit me faire peur. La mort ne m'effraie pas. Je tiens de ma mère. Elle était courageuse et elle a voulu que je la photographie sur son lit d'agonie. Je n'avais pas le courage de tenir l'appareil. Elle s'est mise en colère. L'absence de l'escargot, ce matin, m'intrigue. J'ai pris l'autobus de 8 h 30. J'aime bien le prendre. Il y a des places assises. Le chauffeur est muet comme un conspirateur. Les garnements sont sages, écrasés par la défaite, la veille, de leur équipe. Je soupçonne le conducteur d'être chauve. Ma mère disait la tête du chauve est proche de Dieu. Elle a certainement raison. Mais celui-là ne m'inspire pas confiance. Je tiens de mon père.

Une seule satisfaction ce matin : je suis arrivé très tôt au bureau. Un chef se doit de donner l'exemple. Ce n'est pas le cas de la plupart des autres fonctionnaires de mon grade. Ils viennent toujours en fin de matinée. Signent le courrier et s'en vont déjeuner. Ils consacrent leur temps de travail à accompagner leurs enfants à l'école et à faire le marché. Il faut dire que je ne pourrais pas les imiter. Je suis célibataire. Je ne m'occupe que de moi-même. On devrait me verser une prime de célibat, car les fonctionnaires pères de familles nombreuses ne sont pas rentables. Ils sont dévorés par leurs obligations familiales alors que moi je consacre toute ma vie à ceux qui m'emploient. Il m'arrive de perdre du temps dans les toilettes, mais c'est extrêmement rare. Une ou deux fois, à raison de trois minutes. Mais si je décris ce que je fais dans les toilettes, je n'aurai jamais le courage de me lire. Il vaut mieux ne pas trop insister. Malgré ce défaut bi-annuel, je ne profite pas des autorités municipales. Bien au contraire ! Inutile de laisser le calendrier dans cette position. Il ne sert à rien. Aujourd'hui je ne reçois personne. Pas la peine de délimiter mon territoire. Solitude du matin. Le soir sera pareil. Avec les pollutions nocturnes, les rares pratiques solitaires sont une honte insupportable et supplémentaire. Je n'en jouis que les jours où je me sens aban-donné par tous, haï par tous et agressé de toutes parts. Inutile de tracer mes fron-tières. Les rats, eux, le font. Avec leur urine. Chaque clan a les siennes. Si elles sont transgressées par un individu, c'est la guerre généralisée. Des batailles mémora-bles. Des victimes innombrables. Comme chez les humains, les femelles encoura-gent leurs partenaires et les excitent pour les rendre plus violents, plus meurtriers. Pas la peine de garder le calendrier comme une barrière entre moi et les visi-teurs. Il n'en viendra pas aujourd'hui. Je fais l'inventaire, dans ma tête, des jours de pluie. Les pratiques solitaires sont à noter sur un bout de papier et à camoufler dans la poche secrète. C'est la première fois que je les évoque. Je n'en ai jamais parlé à ma mère, de son vivant. Elle serait morte de tristesse. C'est tout simplement dégoûtant. Mais les jours de malheur je ne peux m'empêcher de m'enfermer dans les toilettes. Comme une autopunition. Plus : une automutilation. J'ai horreur de perdre mon sang-froid. Ma mère disait : le fils du rat est un rongeur. Je dois tenir cette mauvaise habitude de mon père. Je ne m'y laisse aller que très exceptionnellement, mais quand même ! Une ou deux fois l'an, lors des débâcles et des barrages qui cèdent. J'en reste gluant. Brouillé. Cotonneux. C'est certainement pour cette raison que j'ai les poumons fragiles.

Les employés ne se sont aperçus de rien. J'ai décidé de travailler à mes dossiers. Ce rapport sur une éventuelle campagne de propreté m'empoisonne. Je ne comprends pas ce que les autorités municipales veulent obtenir. Elles feraient mieux de méditer sur la capacité des rats à bouleverser l'échiquier politique d'un pays. Dans le célèbre livre intitulé : *Les sources orientales*, j'ai lu ce qui suit : « Aussi quand par la suite, le roi Semarhérib mena contre l'Egypte une grande armée d'Arabes et d'Assyriens, les Egyptiens de la classe guerrière refusèrent-ils de venir à son aide... Pendant qu'il se lamentait, le sommeil le prit et il lui sembla que le Dieu l'encourageait à aller au-devant de l'armée des Arabes car il lui enverrait des secours. Cette nuit-là, un flot de rats des champs se répandit chez l'ennemi, rongeant les carquois, rongeant les arcs et aussi les courroies des boucliers ; si bien que le lendemain, étant sans défense et sans armes, ils prirent la fuite. » On aurait dû me confier la responsabilité d'une telle campagne. La propreté passe par l'extermination des rats. Par la suite je me serais attelé aux immondices, au nettoyage des rues, à l'embellissement des jardins publics, etc. La tâche, il est vrai, est inépuisable. Mais l'essentiel réside dans la dératisation. La preuve est faite que les rats peuvent mettre une armée invincible hors de combat. Ma mère disait le poisson se nourrit de poisson. Mais les rongeurs disputent à l'homme sa propre nourriture. Il n'y a aucune commune mesure. J'entends les employés jacasser au téléphone. Comme j'ai décidé de ne plus répondre, ils en profitent et prennent des voix autoritaires. Ils essaient de m'imiter. Ce n'est pas facile. C'est tout un art de savoir s'imposer. Il ne s'improvise pas. En attendant je continue à regarder dans le dictionnaire.

Je voyage dans les mots. Ils me recouvrent. C'est mieux que le cinéma. J'apprends ainsi que mes pratiques solitaires dans les toilettes, les jours de colère, portent un nom scientifique. Onanisme. Le concept atténue presque l'acte. Il le gomme pour ainsi dire. Ce que c'est que d'utiliser des mots scientifiques et précis ! J'ai moins honte. Il y a longtemps que j'essaie de le connaître. Sans ce rapport sur la menace que font peser les rats sur le tronçon nord-est du gazoduc passant sous la ville, je n'aurais pas regardé dans le dictionnaire. Je n'aurais jamais su le mot utilisé par les savants pour désigner la tare dont je souffre. A moins que toute cette histoire n'ait été montée par le chef de l'équipe. Pour m'intimider ou se donner de l'importance, ou tout bêtement pour me cacher qu'il a été prendre une bière avec les autres membres de l'équipe au lieu de faire son travail. De toute manière, il faudra que j'aille vérifier sur place. Heureusement qu'il y a des gens éprouvés comme moi. Onanisme. Je n'en reviens pas d'une telle suavité. Ma mère disait on ne cache pas le soleil avec un tamis. Je n'oublie pas, en ce qui me concerne, que je ne l'ai pas vu, en partant ce matin. Les dangers grossissent et les menaces prennent des formes diverses. Ce n'est pas au muezzin que j'irai me plaindre. Je lui ai bien dit que j'étais trop fidèle à l'Etat pour croire en Dieu. Il ne m'a pas pris au sérieux. Il a cru que je plaisantais. Avec tout l'argent que j'ai versé pour la construction de la nouvelle mosquée! Il est vrai que le minaret est de trop puisque les haut-parleurs portent très loin et suffisent à répandre la parole de Dieu dans l'éther azuré. Aucune ironie. Vaut mieux raturer. On va croire que j'ai l'humour très mal placé. Je n'ai pas trop insisté. Il m'aurait pris pour un hérétique. Alors que pour moi, seuls ceux qui trahissent l'Etat le sont. Je ne me suis pas appesanti : il n'aurait pas compris. Il est midi trente. Je n'ai même pas faim. Il pleut toujours et pas besoin de tamis pour cacher le soleil. Ma mère disait.

Certes, j'eus la vocation précoce. A deux ans, ma mère me confia à une nourrice pour aller faire des ménages chez les riches. Elle était enceinte de ma sœur. Je n'en ai qu'une et elle boite affreusement. Elle a quand même trouvé un mari grâce à ma position sociale et à la ténacité de ma mère qui tenait à la caser avant de s'éteindre. Mon père s'était avéré incapable de subvenir aux besoins de la petite famille qu'il avait créée. Ses poumons gangrénaient gentiment. Il toussait mais se tenait tranquille. Je fus donc confié à une paysanne. Un jour d'été particulièrement chaud, elle m'enferma dans une pièce et alla aider son mari à couper le blé. Je fus attaqué par une dizaine de gros rats énervés par la chaleur. Je réussis à m'échapper par une fenêtre après en avoir tué plusieurs. Mais la paysanne fit courir le bruit que l'un des rongeurs s'était barricadé dans mon cerveau. Pour la punir de ses médisances, on me retira de chez elle. C'est de cette époque que date mon amitié avec ma mère. Le père fut évincé. Je vouai une haine définitive aux rats. Je fis des études de zootoxicologie. Dès lors, ma carrière fut toute tracée. Ma mère était fière de moi. Elle aimait me flatter. Tu tiens de moi, disait-elle. Mais les jours où elle était de mauvaise humeur, elle me reprochait la fragilité de mes poumons. Le fils du rat est un rongeur. Je laissais passer l'orage. Je lui prouvais que ma vocation était profonde. Je lui rappelais aussi comment je mis en déroute un certain nombre de gros rats voraces, décidés à me manger, dès l'âge de deux ans. Un tel destin marque un homme. C'est pourquoi, aujourd'hui, j'ai la responsabilité, dans cette ville, d'un certain nombre de châteaux d'eau, de plusieurs silos, d'un port, d'un gazoduc et jusqu'aux fondements mêmes de la cité. J'eus donc la vocation précoce, la passion des dictionnaires, la manie de l'écriture sur les petits bouts de papier, l'art de camoufler et de déplacer une vingt et unième poche ultra-secrète, celle de mes émois et de mon moi vrai, selon les fluctuations du moment et la hantise des escargots.

Ce n'est pas donné à n'importe qui de savoir se débrouiller avec seulement vingt poches quand j'ai les besoins que l'on sait. Sans parler de la poche secrète. J'ai passé l'après-midi à inventorier les différentes rubriques dont j'ai besoin pour classer mes petites notes. Je me suis rendu compte qu'elles étaient au nombre de trois cents. Je me suis pourtant limité. Rien que pour les poisons, il me manque une cinquantaine de poches. Une pour les notes sur les poisons lents coagulants. Une deuxième concernant les poisons rapides, une troisième pour les poisons fumigènes. Ensuite une poche pour chaque mélange de poison lent avec un poison rapide. Encore une autre pour chaque mélange d'un poison rapide avec un poison fumigène. Puis une autre pour chaque mélange de poison rapide avec un autre poison rapide. Une autre encore pour chaque mélange d'un poison lent avec un autre poison lent. Plus une autre pour le mélange d'un poison fumigène avec un autre poison fumigène et ainsi de suite, à l'infini. Sans parler de chaque poche pour le comportement des employés classés différemment selon leurs sexes, leurs tailles, leurs poids, leurs morphologies psychologiques, etc. En réalité, même trois cents poches ne suffisent pas à tous mes besoins. Ce petit calcul m'a rendu encore plus triste, plus anxieux. Je me rends compte que je suis dépourvu de tout. Même le temps me manque. A ce petit jeu combinatoire j'ai passé plusieurs heures. L'après-midi touche à sa fin. Il pleut à torrent. J'ai allumé une autre lampe. Je la garde dans un placard pour les jours particulièrement sombres. Je manque de tout. Je n'ai même pas assez de poches pour m'organiser scientifiquement. Les vingt que j'ai ne peuvent que m'embrouiller. J'avoue que le soir, chez moi, j'ai toutes les peines à me retrouver dans mes bouts de papier élimés, chiffonnés, illisibles. A supposer que je mette plus de vêtements et gagne ainsi cinq ou six poches, je n'en serais pas plus avancé. Il faut faire avec ce qu'il y a. Rester frugal. J'appréhende de rentrer chez moi. J'entends les autres employés quitter le bureau. Ils ne viennent pas me souhaiter bonsoir. C'est la rançon du savoir et du pouvoir. Atroce de posséder les deux ! Eux, sont ignorants. Peur de le trouver en faction devant la porte de la maison, clapotant dans une flaque de pluie. Avec le déluge, la nature devient véhémente. C'est l'automne. Profusions végétales. Protubérances arborescentes. Avec le halo des lampes et la vitre embuée, le jardin est une fantasmagorie prodigieuse. Et poussent dans ma tête des milliers de bégonias, fissurant mes neurones à en éclater dans la turbulence vibratoire et touffue d'un état d'âme minéralisé. Nageoires en forme de fleurs. Quelque chose dans ma tête. Comme un rat qui grignote méticuleusement. Avec diligence. La nourrice avait-elle raison ?

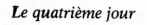

Le quatrième jour

La transcription m'éreinte et la combinatoire me fascine. Un rêve de tulle. Je me suis endormi sur le *Traité des animaux* d'Abou Othman Amr Ibn Bahr (166-252 de l'Hégire). J'étais en train de savourer une description de la manière astucieuse dont le rat construit ses labyrinthes. De quoi avoir des maux de tête. Je me suis bêtement assoupi. Il faut dire que je connais bien ce livre : je le lis et le relis depuis une vingtaine d'années. Un sommet de la littérature arabe. Un précurseur, cet Abou Othman ! Avec lui, la prose s'est imposée. Il était temps. La poésie stagnait dans le musc des khalifes. J'ai rêvé qu'un rat avait mangé mes deux paires de chaussures. Je n'en possède pas d'autres. Je ne pouvais plus sortir pour aller au bureau. Rêve étrange, avec des lignes zigzaguant à travers les méandres de mon cerveau éprouvé par la transcription et la combinatoire. Où il était question d'une multitude de petits rongeurs sillonnant la zone autour des deux paires de chaussures que je cire tous les soirs pour avoir le choix, le matin, de mettre celles qui me semblent les plus brillantes. Rats, donc, cisaillant l'espace autour de mes chaussures, décrivant des lignes enchevêtrées aux couleurs variées et dessinant des pourtours jaune ammoniaqué, se superposant les uns sur les autres, se coupant, se recoupant, et formant, en fin de compte, des ellipses précaires parce que abstraites, aux débordements et replis s'accumulant dans l'espace du rêve avec une rare fébrilité, me striant les yeux et m'empêchant d'atteindre mes chaussures pour les subtiliser à la vindicte des rongeurs déchaînés et hilares. Un rêve couleur d'urine. Déploiement de courbes sans aucune logique. Lacis vertigineux de champs agglomérés et compacts se chevauchant, se dédoublant à travers bégaiements et jeux de miroirs, sinusoïdalement éployés comme les traces d'un escargot gluant qui se prend pour le centre de la terre et tourne éternellement sur lui-même. C'est une phrase trop longue pour la noter sur un bout de papier dûment numéroté. En me réveillant, je me suis rappelé que je n'avais pas décousu ma poche secrète. Pollutions nocturnes plus

onanisme. Voilà où me mènent les émois.
J'ai passé plusieurs heures à tourner et à
retourner mes habits. En vain. J'ai failli y
renoncer. Tâche difficile. Ma mère disait
l'ivrogne sait retrouver la porte de sa
maison. Ce n'est pas toujours vrai. J'en
sais quelque chose ! Je suis trop malin.
Mais je n'arrive pas à retrouver cette
maudite poche secrète. Cependant, du
calme ! J'ai été perturbé. La cité ne m'atteint pas. Elle me parvient, irréelle,
estompée, comme oblitérée. Pourtant elle
ne cesse de s'épanouir à travers chantiers
et convulsions. Elle mourra de ses bourrelets. La concentration urbaine ! J'avais
noté quelque part : elle est un éclabousse-
ment jailli des matériaux qui la compo-
sent et s'amoncellent en un bric-à-brac
faramineux. Un miracle d'équilibre, il est
vrai, et la mer qui la ronge ! Mais, je
l'avoue, elle porte sa lèpre comme une
dentelle bleue. Rêve de tulle. Cette digression sur la ville est une fuite en avant ! J'ai
mis du temps à découvrir où j'avais
camouflé la poche des émois, et l'origine
biblique du mot onanisme. Onan est le
nom d'un personnage biblique. En s'unis-
sant à sa belle-sœur il évitait de la mettre
enceinte. Dieu le fit mourir, pour le punir
de ce péché.

J'avais oublié l'essentiel : dans la

mythologie grecque, quand des rats mangent les chaussures d'une personne, il y a un présage de mort. Je ne crois pas du tout à ces balivernes. Je suis arabe et je le reste. Ce qui se passe en Grèce me laisse indifférent. La civilisation méditerranéenne est un raccourci trop flou. Je ne fais pas de politique. Les présages arabes me suffisent amplement. Donc, cette signification courante chez les anciens Grecs me laisse froid. Le plus troublant dans ce rêve, c'est sa forme labyrinthique, dédaléenne même ! Je retombe à nouveau dans l'Antiquité. Il faut que je me surveille. Il est vrai que la transcription m'éreinte et la combinatoire me fascine. De là à faire des cauchemars aussi ridicules, c'est inadmissible. J'avoue que je suis épongé. Réveillé pour de bon. Insomniaque et fier de l'être. Je n'ai jamais les yeux frileux. La ville est une réalité mais elle ne m'atteint pas. Le port par contre me touche. Je ne l'ai jamais visité. Je le devine. Il me suffit de savoir qu'il existe. Tout un destin transfiguré par des mouettes. Pourtant j'ai horreur des voyages. S'il n'y avait pas le port, je serais parti et me serais installé à la campagne, chez ma sœur. Il faudrait peut-être que je renonce à lire, le soir, le *Traité des Animaux* d'Ibn Bahr et l'*Histoire générale des labyrinthes* de Silas Haslam. Je ne

vais quand même pas avoir de cauchemars à mon âge. C'est déjà trop des pollutions et de l'onanisme. Serait-ce la vieil-
lesse ? Je suis à quinze ans de la retraite.
Je me demande ce que deviendra le
bureau de dératisation après mon départ.
Ce n'est sûrement pas en Alberta que j'irai
faire des voyages d'agrément. Pas question ! Les rats peuvent toujours manger
mes chaussures. J'en achèterai d'autres.
Ils se fatigueront les premiers. J'ai la
patience du cactus ! C'est ainsi que j'ai fini
par retrouver la poche secrète. Je l'avais
cousue à l'intérieur de l'épaulette gauche
de mon veston. Entre ouate et ouate.
Toute pelucheuse ma poche ! Décidément,
c'est un mot que j'aime. A biffer absolu-
ment. J'ai fini par retrouver la porte de ma
maison. Je ne suis pas un ivrogne, j'ai
horreur de l'alcool. Les gens sont mous
quand ils ont bu. Je dirai pelu. (Gommé.)
Ils rament dans le sentiment. Fétides !
Plus, rances... Une latence agaçante semble tout régenter. Après le rêve, l'accalmie.
J'ai été vérifier si mes deux paires de
chaussures étaient toujours là. J'en ai
profité pour les cirer. Les présages n'ont
aucun effet sur moi. Fermé. Ripoliné. Et
personne ne vient chez moi. Toutes les
adresses en possession de l'administration
sont fausses. Nul ne sait où j'habite. Pas

même ma sœur. Elle n'est pas curieuse et de surcroît elle boite. Il y a longtemps que j'ai plaqué sur mon visage une nodosité rugueuse. Tout le monde y bute. Les rats aussi. Et les escargots s'y heurteront, le jour où je leur déclarerai la guerre.

A vrai dire, aujourd'hui, je n'ai pas eu le courage d'aller au bureau. Je me suis mis au lit. C'est la première fois qu'une pareille chose m'arrive. Premier manquement à la discipline administrative. Je me suis enfermé à double tour dans ma chambre. Je n'ai quand même pas dormi. Le jour où je dormirai vraiment, je ne me réveillerai jamais plus. J'ai lu. Me suis assoupi. Mis mes fiches au propre. Le *Traité des animaux. L'Histoire générale des labyrinthes.* J'ai fait ce rêve le temps d'une courte somnolence. J'ai passé la matinée à regarder des planches représentant l'accouplement des escargots. J'en suis encore malade. Pourtant, en rentrant hier soir, je ne l'ai pas vu. Il tombait des trombes d'eau. J'ai fait le tour du jardinet pour voir les dégâts causés aux plantes sèches sous la pluie. Je n'ai rien remarqué d'insolite. Ce projet m'obsédait depuis le jour où j'ai compris le manège du gastéropode. Mais je ne voulais pas ouvrir un livre consacré à cette engeance. J'avais peur de donner trop d'importance à un animalcule issu d'un sous-ordre des stylommatophores. Avant tout, un mollusque. J'ai fini par me décider. Ce fut horrible. Un hermaphrodite accompli qui se pâme pendant trois ou quatre heures. Quel dégoût. Les planches étaient insoutenables. Tant de viscosité et de volupté. A la fois mâle et femelle. Il donne et il reçoit, en même temps, une quantité de plaisir inimaginable. Pulmoné, par-dessus le marché. Un écoeurement total. J'ai préféré me mettre au lit et ne pas aller au bureau. Spécialiste dans l'extermination des rats, manipulant la warfarine, l'alphachloralose et le cyanure de calcium pulvérisé, je ne pensais pas qu'un jour je succomberais à l'agressivité d'un vulgaire escargot clapotant dans sa pluie... En tout état de cause, je n'ai pas été au travail. Je devais visiter le souterrain où passe le gazoduc, rédiger la suite du rapport sur une éventuelle campagne de propreté, noter une foule d'informations concernant ce nouveau poison dont je viens de recevoir un échantillon, l'expérimenter sur les six genres de rongeurs existants, etc. Il fallait que je me documente. Le sujet me tient trop à cœur. Connaître l'ennemi avant de définir une stratégie et la mettre, méticuleusement, au point. Un vulgaire gastéropode clapotant dans sa vie mouillée. Paradoxale-

ment, je me sens encerclé par la sécheresse. J'étouffe. Je suis persécuté par un
animalcule qui me poursuit et qui, pour
m'effrayer, disparaît pendant plusieurs
jours, pour réapparaître, m'épier, me surveiller, traîner derrière moi sur l'asphalte
de l'avenue.

Je reste cependant très calme. La ville a
besoin de moi. Un jour de repos n'a jamais
fait de mal à un homme. Je n'ai de comp-
tes à rendre à personne. Dans mon service,
je suis le maître. Mes supérieurs ont des
charges politiques et sont trop pris pour
s'intéresser à un jour d'absence. Ils me
font confiance et ma fidélité à l'Etat est
légendaire, à tel point que je me désinté-
resse de Dieu. Mais personne ne le sait. Le
muezzin, du moment que j'ai versé une
somme rondelette pour la construction de
la mosquée, n'a rien à redire. Lorsqu'un
jour, poussé par les scrupules, je me suis
ouvert à lui au sujet de ma foi inexistante,
il a ri et m'a dit que j'avais le sens de
l'humour. Je n'ai pas trop insisté. Donc,
j'ai une bonne réputation et mes prérogatives professionnelles sont importantes.
C'est pourquoi je reste calme. La lecture
du dictionnaire m'aide à vivre. Elle me
détend. La chair des mots est pulpeuse.
Très lyrique. A raturer. C'est vrai qu'ils
créent un espace plus vaste que toute la

géographie. Je me laisse, peut-être, aller à un enthousiasme de mauvais aloi, alors que les dangers menacent. Vastes réseaux de l'intraçable. J'ai dû lire cela quelque part. Dans Ibn Bahr ? Dans Haslam ? Ce sont les deux seuls livres que je connaisse par cœur. On y évoque les traces que laissent les pattes de rats sur le sable. Toute une calligraphie frêle ! J'ai le droit de fuir de temps à autre dans des considérations aussi futiles. Je préfère la gracilité de la souris aux mucosités des stylommatophores pulmonés ! Les Américains ont raison, Mickey Mouse est un snob qui danse sur du velours couleur garance. C'est un fait qu'ils l'ont amené avec eux d'Europe. Il pourrait être leur emblème. Les voitures circulent, mais la ville ne m'atteint pas. Elle passe devant la maison. Papules irisées de feux de signalisation, grues cherchant leur élan dans l'atmosphère, rues satinées au goudron ; le tout formant un conglomérat que je protège des rats.

J'ai aussi sorti la boîte à chaussures. Ma mère m'aurait grondé. Elle n'aimait pas la nostalgie. Si elle m'a demandé de la photographier le jour de sa mort, c'était pour me laisser un souvenir de sa fermeté, de son intransigeance. Elle savait que je tenais d'elle mais la fragilité de mes poumons lui avait fait craindre une hérédité trop lourde du côté de mon père. Elle ne voulait pas qu'en plus, j'héritasse sa faiblesse de caractère. Sinon, les photographies l'ennuyaient beaucoup. Elle avait horreur du narcissisme ; le combattait chez son époux, qui portait toujours sur lui sa propre photo, prise à vingt ans, le jour où il cracha du sang pour la première fois. Le cliché était très romantique. En fait, il était très beau et se payait le luxe d'être photogénique. Ma mère, par contre, avait de vilains traits. Elle le jalousait certainement. Mais, je ne vais quand même pas médire d'elle. Effacer cette phrase sur les traits maternels. Je lui dois tout. Ma vocation, surtout ! Si elle ne m'avait pas mis en nourrice, je n'aurais pas été assailli par les rats et ne leur aurais jamais voué cette haine qui a fait de moi un zootoxicologue de talent. J'ai donc sorti la boîte à chaussures. Elle était bourrée. J'ai retrouvé une photographie de moi, à vingt ans, prise à l'université. On aurait dit mon père le jour où il cracha ses poumons. Par la régularité des traits, je tiens de lui. Ma mère avait raison. J'ai trop emprunté aux gènes paternels. Je connais la génétique. Les rats se sont chargés de me l'apprendre. Je me rends compte en regardant les photos qu'il n'a pas plu, aujourd'hui. Journée fluide.

Un automne filandreux, cette année. Maudite saison. Elle me fait larmoyer sur des clichés anciens. Tout est poreux. Seul le regard de ma mère est ferme. Sévère. Elle n'a jamais perdu son temps à des sensibleries gélatineuses. Elle se serait moquée de cette nouvelle phobie. Celle des mollusques. C'est un comble pour un dératiseur aussi célèbre dont la notoriété a franchi depuis longtemps les frontières de son propre pays. Il est vrai qu'on m'écrit du monde entier. Personne ne sait où j'habite. Je reçois le courrier à mon bureau. Rien que des lettres d'éminents collègues. Je suis, cependant, sûr qu'il y a un escargot entêté qui ne cesse de me suivre. Je ne pourrai même pas l'empoisonner avec un mélange de A.N.T.U. et de composé 1080. Rapide et foudroyant en ce qui concerne les rats. Sans douleur, non plus. Mais les gastéropodes sont invulnérables à tous les poisons. Ils ont l'habitude de consommer des plantes toxiques. Des êtres bizarres. Estomacs minuscules mais blindés. Ils raffolent de la belladone et de la ciguë, passent leur vie à grignoter des champignons vénéneux. En toute impunité ! Il n'y a qu'un moyen pour s'en débarrasser d'une façon radicale. Elever une taupe dans le jardin. Elle ira les dénicher dans leurs trous bien camouflés et les dévorera.

Sinon, les prendre et les mettre à bouillir. Mais à la seule idée de les toucher, j'en ai les mains baveuses. Ma mère disait on ne cache pas le soleil avec un tamis. J'ai donc sorti la boîte à chaussures pour essayer d'oublier cette nouvelle obsession. Je compulse honteusement les photographies. Je renonce vite car le regard de ma mère est insoutenable. Il est plein de reproches. C'est alors que les idées se mettent à couler en moi. Je suis inondé. Mouvance giratoire et répétitive. Je reviens toujours à mon point de départ. Le gazoduc. Le port. Les silos. Les réservoirs d'eau. La ville. Les rats. La combinatoire. Les proverbes de ma mère. Le bureau. La vingt et unième poche. Les pollutions nocturnes. Le fameux rapport sur la campagne de propreté. La spongiosité de l'automne. Les bavures. La vie rigide. Le silence. Les fiches. Le muezzin. Les gastéropodes pulmonés. L'autobus de 8 h 30. L'inflation importée. La fidélité à l'Etat, etc. Je me répète.

La journée se badigeonne d'indigo. Ce n'est pourtant pas le soir. Au bureau, les employés doivent s'amuser follement. Le chef de l'équipe n° 1 doit siroter sa dixième bière de la journée et moi je suis là, entouré de mes photos, de mes planches sur la reproduction des escargots, de

mes schémas sur les labyrinthes du rat...
Je n'ai pas pu aller au travail. Ce n'est pas
ce rêve qui m'en a empêché mais le spectacle nauséabond de l'accouplement des
gastéropodes. J'ai quand même suspendu
mes deux paires de chaussures au plafond
à l'aide d'une corde solide. J'ai passé
quelques heures à cet exercice de haut vol.
Je me fais vieux. Pourtant, jamais d'alcool. Jamais de femmes. Je ne crois pas à
ces présages grecs, mais comme je me suis
fait de la méfiance un principe intangible
de vie courante, j'ai préféré prendre un
minimum de précautions. Je n'ai que ces
deux paires et je les entretiens minutieuse-
ment. Je n'ai pas beaucoup d'argent à
consacrer au cuir car le papier me ruine.
Les fiches et les petits bouts de notes
grèvent sérieusement mon budget. Il faut
dire que j'en utilise beaucoup. Sans cette
passion, je ne sais pas ce que je serais
devenu. Les escargots s'accouplent
debout. Ils ne se pressent pas. Ils prennent
leur temps. Hermaphrodites, ils réussis-
sent les deux opérations en une seule. Je
n'ai pas envie de m'étendre sur ce sujet.
Visqueusement. Pluvieusement, même. Ils
sont très excités en temps de pluie. Ils
m'obsèdent. C'est très grave. J'en oublie le
gazoduc. Je suis pris de tremblements
quand je me mets à penser à cet animal-

cule. Invertébré mais pulmoné, mou mais protégé par une coquille dure et calcaire, myope mais à l'odorat très développé. Il ignore certainement les pollutions nocturnes. Il a des compensations. Aucun être vivant ne jouit autant que lui. Trois à quatre heures d'affilée ! En comparaison, la virilité humaine est cocasse. De ce point de vue, je n'ai pas de complexes. Je laisse les prouesses sexuelles aux bellâtres cosmétiqués, aux drageurs de hauts boulevards. Celles de l'escargot sont répugnantes. Ma mère ignorait ce phénomène. Moi aussi. Les rats m'ont accaparé. Elle n'était pas instruite mais connaissait les rongeurs. Elle m'aidait à faire mes fameux mélanges. S'agissant des sous-ordres des stylommatophores, rien ! Elle a eu tort. Ce sont mes pires ennemis. Je la croyais intuitive mais elle a été trompée par les apparences. J'en arrive à ne plus sortir. A m'enfermer. A délaisser mon travail. Mon unique raison de vivre. Malgré mon dégoût, j'ai quand même pris des notes sur cette espèce que j'ai recopiées sur une fiche. J'ai dû fabriquer une boîte en bois pour l'utiliser comme fichier spécialisé dans les gastéropodes. Au fond, j'ai réalisé beaucoup de choses dans ma journée. C'est la preuve que rêver de rats mangeant mes deux paires de chaussures n'a eu aucun effet sur moi. J'en ai profité pour les cirer avec plus de tendresse et plus d'ardeur que d'habitude. Puis j'ai eu cette idée dont ma mère aurait été très fière. Je les ai attachées à une corde très solide et les ai suspendues au plafond de ma chambre à coucher. Elles se sont balancées pendant un bon bout de temps. Comme bercé, j'ai retrouvé mon calme. J'ai éteint et la chambre s'est teintée d'indigo. J'ai cru percevoir un léger ressac méditerranéen. Il n'est que trois heures de l'après-midi mais il fait sombre. J'ai donc mis en fiche quelques caractéristiques de l'escargot. Je n'aurais peut-être pas dû.

Fiche n° 1, concernant cet animal : « Il s'agit d'un mollusque gastéropode pulmoné qui est sous-ordre du stylommatophore. Il est terrestre et herbivore. Il est constitué d'un pied, d'une coquille, d'une zone tampon entre ces deux parties, appelée bourrelet du manteau (c'est dans cette partie que l'on trouve l'orifice respiratoire et l'anus) et d'une tête composée de deux tentacules oculaires et de deux tentacules du toucher. C'est dans cette région que se situe l'orifice de ponte, alors que l'appareil génital est situé sous le bourrelet du manteau. La coquille est calcaire. Elle est brune, striée de bandes claires, orbiculaire convexe ou conoïde, en spirales. Il progresse par ondulation et contraction et s'aide, parfois, de sa langue pour avancer, c'est pourquoi elle est râpeuse et grenue... » J'ai préféré m'arrêter là. Je compléterai cette fiche un peu plus tard. Il y va de ma vie. Je n'ai pas le choix. Je dois bien connaître mon ennemi. Quel drôle d'animal quand même ! Marcher sur la langue. Comme si son hermaphrodisme pervers ne lui suffisait pas. Il lui faut, en outre, onduler, se contracter et utiliser sa langue pour aller à une vitesse encore plus petite que celle de la tortue. Je n'arrive pas à retenir le chiffre tellement il est ridicule. Je l'ai noté quelque part, sur un petit bout de papier. Je le retrouverai. Me ressaisir et ranger les photographies dans la boîte à chaussures. Je me rappelle mon rêve. Je persiste à croire qu'il ne s'agit pas d'un cauchemar. Les rats me sont trop familiers. Je dois descendre à la cave pour donner à manger à mes petits rongeurs. Mais j'attends que l'indigo se colore d'aubergine. Je me demande d'ailleurs si j'ai vraiment rêvé. J'ai peut-être simplement lu cette histoire de présage dans Pline. Si je l'ai lue, j'ai dû la noter quelque part. Il faudrait que je vérifie. Ce qui est certain c'est que rien ne m'atteint. Impeccable et sec. Je laisse les sécrétions, les baves et autres mucus aux gastéropodes. Je retrouve le papier sur lequel j'ai noté la vitesse de l'escargot : 0,003 km/h. Plus lent que la tortue. Cent fois plus lent, puisque la vitesse de cette dernière est de 0,300 km/h. En fait, il lui faut une heure pour parcourir trois mètres. Inadmissible. Je sens la haine monter en moi. Tant de défauts dans une si petite et si stupide chose. C'est lui qu'on aurait dû choisir pour illustrer le paradoxe de Zénon d'Elée, non la tortue. C'est une tout autre histoire, à vrai dire ! Ibn Bahr, lui, n'en parle même pas dans son *Traité des animaux.* Voilà un homme que j'admire. Mon estime pour lui augmente. Il les a bannis de l'espèce animale. Les polypes méritent plus d'attention. Sans aucun doute. Abou Othman qui les évoque très longuement en donne la preuve irréfutable. Quant à Zénon, il méprisait trop les mollusques pour les utiliser dans son paradoxe. Il les aurait immortalisés. Au fond, en parler, c'est leur donner plus de valeur qu'ils ne méritent. Je ne devrais pas gaspiller tant de fiches, tant de petits bouts de papier, tant d'encre, à cet animal spongieux et lent. Est-ce que les fourmis vont plus vite ? J'en oublie mes rats ! Quel désastre...

Je suis fatigué par toutes ces transcriptions. Et la combinatoire me fascine toujours. Il continue à ne pas pleuvoir. Discours réembobinés dans ma tête pour la centième fois. Comme un zézaiement sur le fil d'une lame à raser. Eléments du réel savonneux, perçus comme à rebours. Méandres et maléfices du tatouage. Cadastres verglacés de l'imaginaire. Levures aigrelettes des bruns et des bistres. Sinuosités nébuleuses. Chuintements de syllabes muettes qui retombent dans mon crâne comme une neige molle. Fourmillements moirés. Hachures. Zébrures. Fêlures. Restes de phrases teintés au safran. Résidus de rêves concassés. Déglutitions nauséeuses. Eructations saliveuses. Rigidités alcalines. Concrétions violacées. Macérations vineuses. Concentricités enroulées. Superpositions accumulées. Stries conoïdales. Mais essentiellement : filaments gluants s'entortillant autour de ma tête et constitués de ce mucus qu'utilise l'escargot pour fermer les trous dans lesquels il vit au ralenti, l'hiver et l'été. Il y a aussi des bruits étranges dans mon crâne, comme des grignotements de souris. Les insinuations de la nourrice me reviennent à l'esprit mais je sais que c'est une femme médisante. Aucun rat ne s'est coincé dans mon cerveau. Je suis bien placé pour le savoir. Je leur mène la vie dure. Il faudra me ressaisir. J'ai l'insigne honneur de veiller sur la propreté de la ville. Certes, elle est sale mais c'est la faute des paysans et des familles nombreuses. A nouveau, la reproduction. Ma mère avait été stricte. Juste de quoi perpétuer la race. Un garçon et une fille. Le père fut voué aux insomnies. Je dois tenir de lui, dans ce domaine. Décidément. Je lui ressemble, physiquement. Svelte et fringant. J'ai les poumons fragiles comme lui et l'insomnie tenace. J'ai hérité de ma mère sa force de caractère et sa passion du thé à la menthe. Elle en consommait plusieurs litres par jour et avait les reins solides. Moi aussi ! Il n'a pas plu aujourd'hui. L'automne, quelle engeance. Elle disait c'est la saison du soupçon. Ni l'été ni l'hiver. Entre deux. Les orages en plus et les pluies diluviennes qui ramollissent le contour des objets et mes propres articulations.

Mais il ne me faut pas perdre de vue la lutte contre les rats. J'apprends toujours des choses nouvelles à leur sujet. J'ai lu quelque part qu'un couple de rats surmulots avait, au bout de trois ans, une descendance moyenne de 2 500 000 individus. Le jour où je suis tombé sur cette statistique, j'eus tellement peur que j'ai voulu cacher le petit bout de papier sur lequel je l'avais notée, à l'intérieur de la poche des émois. Effectivement, j'étais bouleversé. A l'époque, je fus envahi par le découragement. Je compris la vanité de ma prétention à débarrasser complètement la ville des 5 000 000 de rongeurs qui vivent dans ses plis et ses replis, et ce, avant ma retraite. Je n'aime pas trop évoquer cette réalité amère. Les lois de la fécondité sont éprouvantes. Les gens d'Uqbar l'avaient compris dès le VIIe siècle de l'Hégire. Ils avaient banni les miroirs. Aussi. Je n'ai pas beaucoup insisté, ce jour-là. J'ai même détruit le bout de papier sur lequel j'avais écrit le chiffre, comptant sur ma mémoire déficiente pour l'oublier. Mais les jours où je me sens assailli par le doute et la peur, il me revient à l'esprit, me baratte l'estomac. Ma mère disait le fils du rat est un rongeur. A l'idée d'une telle progéniture je deviens calamiteux. J'en arrive à tousser de rage et mes poumons se fanent pendant quelques minutes. Mais je bois vite une potion dont je tiens la recette de ma mère et je me régénère immédiatement. Mes poumons fleurissent à nouveau. Je n'ai donc pas intérêt à penser à la descendance des rats. Sinon, je risque d'imiter mes chaussures et de me suspendre au plafond ; ou d'aller expérimenter la scille rouge sur le vieux rongeur. Combien de petits a-t-il reproduits ? Heureusement que je l'ai enfermé il y a quelques années. Mais il a eu le temps, avant que je l'encage, de faire des dégâts effroyables. C'est certain, parce que je sais aussi que les rats et autres souris atteignent la maturité sexuelle au bout de quelques semaines. Dès qu'ils ont cessé de téter. Et ils ont le sevrage précoce : dix-huit à vingt jours. Après, ils forniquent ! Un mot peu scientifique. A rayer. Tous mes poisons et toutes mes mixtions ne serviront à rien. L'avenir dans cette lutte à mort, ce sont les hormones sexuelles. Elles seules pourraient couper le mal à la racine. C'est-à-dire faire diminuer la reproduction jusqu'à disparition complète de l'espèce. Pour avoir une idée des rats, il ne resterait alors plus qu'à revenir au *Traité des animaux* d'Abou Amr et aux tableaux de Jérôme Bosch dans lesquels on a recensé l'existence de quelques millions de ces animaux. Je dois avoir le chiffre exact sur une fiche. Rubrique : « Le rat dans la peinture. » Je fabule, peut-être. Mais l'Alberta existe bel et bien. Les autorités municipales devraient m'y envoyer faire un stage. Je suis sûr de dénicher un ou deux rats et quelques souris. Peut-être faudrait-il que je cherche bien et longtemps. Encore un projet irréalisable ! Et le service de dératisation ? Qui s'en occuperait ? Et le gazoduc et le port et les silos et les châteaux d'eau et les fondements mêmes de la ville !

C'est comme mon livre sur les bienfaits des rats. Je ne l'écrirai jamais. C'est même inutile. Je ne trouverai pas un éditeur courageux pour le publier. La censure pourrait s'en mêler. Encore une fois je fais de la politique sans m'en rendre compte. Toute cette dernière partie est à biffer.

A nouveau, la nuit qui tombe. Comme il n'avait pas plu de la journée, j'avais pensé qu'il pleuvrait le soir. C'est fréquent l'automne. Mais non, il n'a pas plu. Est-il en train d'attendre dans un trou du jardin ? Je fais comme lui. Je vais finir par lui ressembler. Quelle horreur humide ! Les réseaux nerveux de l'attente. La nuit à traverser. Malgré tout le travail qu'il me reste à faire, j'appréhende ce qui va suivre. L'impression, chaque fois que le jour s'éteint, que je n'ai plus de contours ni de bordures. Veines érodées par le frottement des mots à la lisière de la conscience. Je voudrais écrire un texte sur la solitude des grands hommes. Encore un émoi à contenir. Lyrisme bon marché aurait dit ma mère. Elle était analphabète mais avait un répertoire de proverbes fabuleux. Raccourcis fulgurants de la réalité verglacée et craquelée ! Je dormirais bien quelques heures. Sinon je vais finir par avoir les yeux frileux. Auparavant, il faudrait vérifier que rien ne traîne et que tous les petits bouts de papier ont été transcrits sur des fiches correspondantes. Ne pas oublier de recoudre la poche secrète à une autre place. Petites tâches du soir. Apaisantes. A vrai dire ma vocation m'épuise. Je la porte depuis l'âge de deux ans. J'en veux des fois à ma mère de m'avoir mis en nourrice. Mais je n'ose pas l'écrire. Elle est capable de surgir de sa boîte à chaussures et de me gronder. Je préfère me faire tout petit. J'aspire à une rotondité laineuse.

Le cinquième jour

Ce matin, je suis arrivé en retard au bureau. Je l'ai fait exprès. Je voulais faire croire aux employés que j'allais encore m'absenter. Au beau milieu de la matinée, j'ai fait irruption dans le service. Je les ai pris en flagrant délit. Pas un seul n'était à son poste. La secrétaire était absente. J'ai eu la satisfaction de les voir paniquer, bafouiller et finir par se précipiter à leurs places respectives. Je n'ai pas dit un mot. Certains étaient livides. Ils pensaient que j'étais mort. Il faut dire que c'était la première fois que je manquais. J'ai tout de suite remarqué que mon autorité était intacte. Personne n'a regardé l'horloge. Pourtant il était 11 heures du matin. J'avais décidé de venir à pied. De flâner. De prendre l'air. J'en avais besoin, après une journée passée au lit à compulser des documents dégoûtants. J'ai ainsi évité le mutisme angoissant du chauffeur du bus de 8 h 30 et la logorrhée fastidieuse de celui de 8 h 45. Il doit continuer à exciter la colère des passagers sur la cherté de la vie. C'est certainement un communiste ou un syndicaliste. Je n'en ai pas la preuve. C'est peut-être celui qui ne parle pas qui est communiste. Plus plausible. Cette espèce d'individus a l'habitude des secrets et des conspirations. Ce qui est clair c'est qu'il est chauve et qu'il le cache bien en enfonçant sa casquette le plus qu'il peut. J'ai pensé à tout cela en faisant, à pied, le trajet entre mon domicile et mon bureau. Je suis sûr que je ne radote pas. Les émeutes commencent toujours par des grèves de conducteurs d'autobus. Je le sais parce que je lis les journaux. Je n'aime pas les insurrections. Mon arrivée soudaine au bureau a été une réussite parfaite. J'avoue que je suis fier de moi. Ce n'était pas une manœuvre de diversion pour oublier l'autre : je ne l'ai pas vu. Il continue à me narguer. Depuis trois jours qu'il se cache pour mieux me surprendre. Mais je suis paré. J'ai déjà réfléchi à une telle éventualité. Il ne pleut pas. Un air doucereux. Ni froid ni chaud. Plutôt mûr. Sans soleil. Je leur ai fait peur. Ils ont tous sursauté. Ils m'ont souhaité une bonne journée. Je n'ai rien dit. Le silence est la forme suprême du mépris. C'est un Chinois qui l'a dit. J'ai dû le noter quelque part. Eux, ils sont ignares. Ils n'ont aucune vocation. Ils sont attirés par la prime de contagion. Mais moi je ne la touche pas. Je suis le chef. Je suis entré dans mon bureau. J'ai refermé la porte derrière moi. Très dignement. Je les sentais abasourdis, effrayés, décontenancés. Une fois assis à ma table de travail, je suis resté plus d'une demi-heure à savourer les jouissances du pouvoir et de l'autorité. Au fond, c'est la seule chose que j'envie aux chefs d'Etat. Ce sentiment de domination. Pour le reste, ils me font plutôt pitié. Ils sont seuls, comme moi. A cette différence que je ne fais pas de discours-fleuves pour qu'on m'aime et que je ne prends pas de bains de foule. Elle me déprime. L'exaltation me choque. Le système sudoripare trop irrigué des masses m'incommode. Mais il faut le reconnaître, l'autorité donne des ailes. Je crois que grâce à mon stratagème, je vais passer une bonne journée. Le travail s'accumule. Je recevrai certainement quelques requérants. Sitôt calmée l'extase due au pouvoir que j'ai sur mes employés, j'ai remis mon calendrier et l'ai bien coincé avec mes deux dictionnaires. C'est mon rempart contre les regards et la mauvaise haleine. Il faudra aussi que j'expérimente ce nouveau produit. Je n'y crois pas trop. La scille rouge. On aurait pu trouver un nom plus scientifique, moins bucolique. Je n'aurai pas le temps de penser aux gastéropodes. Une journée extrêmement chargée. Je ne dois pas l'oublier. A noter sur un petit bout de papier que je dois garder bien en vue sur mon bureau. Mais cette dénomination de la scille rouge me dérange. J'ai fait assez de botanique pour savoir qu'il s'agit d'une plante monocotylédone. C'est-à-dire une liliacée. Il y a des chances qu'elle soit herbacée et bulbeuse. A vérifier dans un dictionnaire spécialisé. J'ai même envie d'écrire au laboratoire pour critiquer leur appellation. Avant de le faire, il faudrait que je puisse leur proposer un autre nom. Je deviendrais célèbre. Accepteraient-ils ma proposition ? Il ne pleut toujours pas. Je suis intrigué. D'autant plus qu'il me revient à l'esprit un texte très documenté sur les techniques de camouflage chez les escargots. Il m'a habitué à une telle régularité depuis quelques jours que sa disparition me fait craindre le pire.

Je n'ai quand même pas perdu trop de temps. Très vite, je me suis attelé à mon travail. J'ai placé méticuleusement mon calendrier sur le bord de mon bureau. Un vrai dispositif, et astucieux ! J'ai mis de l'ordre dans mon fichier. Au fond, il était bien à jour. J'ai quand même voulu en avoir le cœur net. C'est ce qu'on appelle des scrupules de savant. J'ai relu le brouillon que j'avais commencé pour faire mon rapport sur la campagne de propreté. Je dois éliminer le slogan efficace et percutant proposé à mes supérieurs hiérarchiques : 5 000 000 de rats rongent votre vie. Je n'arrive pas à accepter de le raturer. Il est si bon. Lorsque j'en ai parlé en haut lieu, on m'a regardé d'un drôle d'air. Pourtant, je n'ai rien d'un agitateur politique. J'ai la haine des terroristes et des révolutionnaires. Je n'ai pas trop insisté. J'ai compris que les autorités municipales craignent un mouvement de panique. Il est vrai que la foule est impulsive. Je n'ai pas pensé à ce côté politique de l'affaire. Quel beau slogan : 5 000 000 de rats rongent votre ville. C'est encore mieux. J'ai l'impression que c'est beaucoup plus inquiétant. J'ai refait mon brouillon. Une preuve supplémentaire de ma docilité envers la fonction publique, de ma fidélité à la municipalité. Je laisse la propagande aux conducteurs d'autobus. Ils sont pires que les ouvriers. J'ai lu que dans plusieurs pays sous-développés, ils ont souvent perturbé l'économie. Je devrais peut-être aller dénoncer les deux complices de la ligne 21 à la police. Je suis sûr que celui qui ne parle pas cache des tracts sous sa casquette. Elle m'a l'air bizarre. L'autre doit faire diversion. Avec son air bonhomme et râleur, il ne semble pas dangereux. Ce qui laisse à son acolyte le temps de distribuer ses exordes cachés sous son couvre-chef réglementaire. Pendant que j'y pense, je suis convaincu qu'ils sont de connivence. Ils se ressemblent beaucoup. Sauf que l'un est gros et grand et l'autre maigre et grand. Je n'irai pas les dénoncer. J'ai trop de travail. On pourrait me soupçonner d'être leur complice. Non, la politique n'est décidément pas mon fort. Je préfère continuer à m'occuper des rats, des souris, des campagnols, etc. et à vivre seul. J'ai noté quelque part qu'un tel comportement était une preuve d'originalité. A cinquante ans, on ne pourra pas me reprocher un seul descendant. Rien ! Je n'ai pas essaimé. Je suis comme les gens d'Uqbar, je me méfie de la copulation et des miroirs. Ils multiplient le nombre des hommes. J'ai ma dignité : j'aime la propreté et le silence. L'instinct grégaire et la concentration urbaine font assez de mal à la ville. Je ne vais pas y mêler mes spermatozoïdes ! Faut-il raturer un tel mot ? Réflexion faite, non ! Il est scientifique. J'en ai la preuve. Dans ma jeunesse, je me suis intéressé à l'insémination naturelle chez certains animaux. J'ai fait des fiches sur ce sujet. Si les escargots jouissent pendant quatre heures, les porcs éjaculent un demi-litre de sperme formant une masse compacte et dense de spermatozoïdes évalués à quelque quatre cents milliards d'unités ! Le prophète a eu raison d'interdire la consommation du porc. Un animal capable de porter dans ses bourses tant de venin est un danger. Heureusement que mes concitoyens n'ont pas des pénis de cochons. Quelle catastrophe nationale ce serait ! Quatre cents milliards de spermatozoïdes renouvelables instantanément. Il est vrai que l'élevage des porcins peut être une solution pour résoudre les carences alimentaires de l'humanité pauvre. J'en ai parlé à mon ami le muezzin. Il m'a traité de gros farceur. Je n'ai pas insisté. Il n'est d'ailleurs pas mon ami. Je n'en ai pas. Je suis seul et m'assume en tant que tel. Au fond, je me demande pourquoi j'évoque ce quart-monde des disettes. Je n'en fais pas partie et ses problèmes de malnutrition ne me touchent pas. Je suis un homme du tiers monde.

J'ai autre chose à faire. Une seule idée me préoccupe. L'éradication totale des rats et autres souris, sauteuses ou non. Je ne compte pas sur la scille rouge dite maritime, de la famille des monocotylédones bulbeuses. Je l'essaierai quand même tout à l'heure. L'idée m'excite. J'ai mon chronomètre personnel. Je ne me fie pas à ceux du centre de dératisation. Je crois que le magnétisme des rats les dérègle. Certainement que le plus long à mourir sera le surmulot ! Si les teinturiers font confiance à cette scille rouge, ce n'est pas mon cas. Je persiste à croire que seules les hormones sexuelles résoudront ce problème posé à la ville. Ça nécessite beaucoup d'argent. Le budget qu'on m'octroie est dérisoire. On dépense des millions dans la construction de mosquées flanquées de minarets inutiles, mais le centre de dératisation n'intéresse personne. Si encore il n'y avait pas ce gazoduc à surveiller, mais il faut éloigner tous les rongeurs sournois qui rôdent autour. Si un jour, ils le percent, ils asphyxieront toute la ville, remonteront à la surface et feront la loi. C'est ce que je crains le plus !

Donc, aujourd'hui, je suis venu en retard. Je l'ai fait exprès. L'air est à la pluie. Mais il ne pleut pas. J'aurais préféré. Dans mon bureau, les objets s'adoucissent quand il pleut. J'aime regarder les gouttes de pluie s'étirer en ellipses glauques et strier la surface des carreaux sur lesquels se brouille le reflet des. J'ai déjà noté ces impressions de temps de pluie quelque part. Une journée de travail. Grisé satiné de la buée verdie par le. Je crois que j'ai aussi écrit une phrase dans ce genre. Trop lyrique. De toute manière, j'ai décidé de ne pas coudre la poche secrète. Donc, aucun émoi n'est admis. Jusqu'à demain. En vérité, je n'arrive plus à trouver de nouveaux emplacements qui me satisfassent. En cinquante ans, j'ai fait le tour de mon corps, de ses cavités et de ses orifices. J'ai décidé de n'avoir de poche secrète qu'un jour sur deux. Cela m'obligera à régulariser mes épanchements. Ce n'est pas mauvais. J'ai le sentiment qu'en vieillissant, je me laisse aller à trop de facilité. Ce raté dans ma vie ordinaire — la journée d'hier — est grave. Il ne faudra pas que cela se reproduise. Ma mère n'eut jamais de faiblesse, jusqu'à sa mort. Elle aurait voulu me voir empoisonner les six rongeurs avec de la scille rouge. Mon père avait beau tousser, elle l'avait mis hors du lit conjugal, dès la naissance de ma sœur ; celle qui boite et qui garde chez elle un double de mon fichier, au cas où on voudrait me le confisquer, ou me le brûler, ou me le voler. Tout est possible. Les savants de ma valeur sont tout le temps et dans tous les pays menacés par leurs ennemis implacables. Celle qui me donna le jour fut stricte. Elle avait décidé : un garçon. Une fille. Point. Elle disait l'abstinence sied aux honnêtes gens et fait du bien aux poumons. Son époux ne savait pas si elle prêchait vrai ou faux. Mais elle l'avait trop inquiété Il s'était tenu tranquille. Mes employés aussi... Ils n'ont plus bougé de la journée. Ils ont reçu poliment des demandeurs. Les ont soigneusement filtrés. Je n'en ai reçu que deux. Un pâtissier qui trouvait que la norbormide engraisse les rats au lieu de les tuer, et une mère de famille dont le bébé a eu les deux bras sectionnés par ces animaux. Je les ai écoutés, patiemment, tous les deux. Abrité derrière mon calendrier, je m'étais arrangé pour les voir sans qu'ils puissent rencontrer mon regard. Le pâtissier a abusé de mon calme. Je lui ai promis de la scille rouge. La mère éplorée avait envie que je lui verse une indemnité. Je lui ai expliqué qu'il fallait qu'elle s'adresse aux compagnies d'assurances. Au cas où elle en aurait une. Ce dont je doute fort. Donc mon arrivée imprévue a remis de l'ordre dans le service. Les choses allaient à vau-l'eau et la discipline laissait à désirer. Ma connaissance de la psychologie animale me donne des atouts considérables en ce qui concerne le comportement humain. L'effet de surprise a été payant. J'ai pu travailler en paix et empoisonner un sur-mulot ou *rattus norvegicus,* un rat noir ou *rattus rattus,* une souris ou *mus musculus,* une souris sauteuse ou *zapus sp.,* une souris des bois ou *peroneycus sp.* et un campagnol ou *microtus sp.* Je dois le reconnaître, la scille rouge a des propriétés certaines. Sa rapidité foudroyante m'a surpris. Ensuite, je me suis mis à compulser certaines fiches. Je n'ai pas du tout pensé à ma nouvelle phobie. J'ai lu.

Ou plutôt relu un texte d'Abou Othman Amr Ibn Bahr (166-252) dans lequel il se moquait de sa propre laideur. Un jour qu'il se promenait dans les souks de Bassora, il fut accosté par une très belle femme qui lui demanda de la suivre. Il en fut flatté et crut qu'elle avait succombé à son charme. Il lui emboîta le pas. Elle entra chez un bijoutier, le traînant dans son sillage et, s'adressant au commerçant, lui dit : en voici le sosie. Puis elle disparut dans la foule. Intrigué, l'auteur du *Traité des animaux* demanda des explications au bijoutier, qui lui répondit : cette dame m'a apporté une médaille sur laquelle elle voulait que je grave l'image d'un rat. Je lui ai expliqué que j'avais besoin d'un modèle. Elle s'en alla et revint avec vous ! Il avait le sens de l'humour assez poussé pour raconter cette aventure malheureuse. Je ne peux que l'admirer. J'avoue que je n'en ai pas beaucoup. Je n'aime pas qu'on se moque de moi. Seuls les êtres laids, sont, peut-être, capables d'avoir de l'esprit. Les êtres beaux sont très sérieux. C'est mon cas. Je n'ai pas à faire de concessions. Malgré toute mon admiration pour Ibn Bahr, je ne peux pas imiter son comportement. Il faut dire que j'ai été marqué, très jeune, par le destin. Attaqué dès l'âge de deux ans par des surmulots voraces, je n'eus pas la vie sauve que grâce à la prompte intervention d'un voisin de ma nourrice, qui les a fait fuir. J'ai dû écrire quelque part que c'était moi qui les avais mis en fuite. A vrai dire c'est une affaire qui n'a jamais été éclaircie. Ce fut, quand même, une horrible expérience ! C'est ainsi que j'eus une vocation précoce ; mais je perdis le sens de la plaisanterie. Quel homme, Ibn Bahr ! J'aurais préféré être laid et avoir son intelligence. Un vrai précurseur. Il mit en déroute la poésie des épanchements et de l'absence ; inventa la prose romanesque et le style scientifique. Les khalifes lui en voulurent. Il était trop avancé pour son temps. Trop rigoureux. Il ne fit jamais de politique et ne se compromit avec aucun monarque mais il bouleversa les canons de l'art, de la zoologie et de la botanique. Lorsque je vais bien, que j'oublie les persécutions déclarées ou occultes dont je suis victime, je relis les textes littéraires d'Abou Othman. J'aime son humour corrosif. Il se prenait pour le diable. Le muezzin qui est ignare, ne le sait pas. Sinon, il ordonnerait un gigantesque autodafé de toutes les œuvres de mon maître spirituel. J'avais besoin d'une petite récréation après avoir expérimenté la scille rouge sur les différents types de la famille des rongeurs que nous élevons dans le laboratoire du service de dératisation de la ville. La lecture d'Ibn Bahr m'a soulagé.

J'ai donné un bout de graisse rance saupoudrée de scille rouge (ou maritime) à chacun des six cobayes. Ils sont morts instantanément. Deux ou trois soubresauts. Une écume rouge qui apparaît aux commissures. Des babines qui se retroussent. Des yeux qui s'exorbitent et c'est tout. Quelques secondes pour chacun. Je n'eus pas le temps de regarder mon chronomètre. Cela va trop vite. Il est perfectionné mais pas électronique. Seule la souris des bois *(peroneycus sp.)* m'a donné du mal. Je m'y suis pris à deux fois. Le premier bout de graisse n'était pas assez enduit de scille rouge. Au deuxième essai, elle fit un rouleau sur elle-même et demeura pliée en deux. Très satisfait de mon expérience. Une sorte d'excitation agréable m'envahit l'esprit. Une nouvelle revanche sur l'agression que je subis à l'âge de deux ans. Tout de suite après, j'ai relu ce texte sur la laideur d'Ibn Bahr. Puis, je suis allé faire un tour dans le service. Les gens étaient sérieux. Même assidus. J'ai remarqué que la secrétaire était revenue. Quelqu'un a été la prévenir de mon retour inopiné. Elle a commencé un discours pour me féliciter au sujet de la réussite de mon expérience. Je l'ai arrêtée aussitôt. J'étais flatté quand même. Ce n'est pas tous les jours que ma secrétaire m'admire. J'ai été superbe pendant l'expérimentation. Les laborantins qui travaillent au sous-sol, ont dû remonter faire mon éloge auprès des gratte-papier. Très fier de moi. Au point que je me suis surpris à regarder mes souliers, cirés à neuf, et qu'aucun rat n'est venu manger. Il faut dire que je les ai mis hors d'atteinte. Trop malin. Je ne crois pas aux présages, mais je n'ai rien perdu à les suspendre au plafond. Il ne pleut toujours pas malgré un ciel gris. Je commence à être intrigué par ce temps maussade. Au moins, s'il pleuvait, il finirait par sortir de son trou. Il a dû le fermer en superposant plusieurs couches de mucus solidifié.

Comme je n'ai pas de poche secrète

aujourd'hui, je m'interdis tout émoi. Pourtant, j'en ai un peu envie. J'ai quand même noté sur un petit bout de papier qu'il fallait que j'aille consulter le muezzin sur un sujet qui n'a pas cessé de me travailler. Depuis que je sais que le mot onanisme a pour origine le nom d'un homme (Onan, selon la Bible, se serait arrangé pour avoir des rapports sexuels avec sa belle-sœur sans la mettre enceinte), j'ai envie de savoir si le Coran évoque les pratiques de cet homme. Seul le muezzin pourrait me renseigner. En général on retrouve de nombreux thèmes bibliques dans le Coran. Mais est-ce que celui de l'onanisme y a été soulevé ? J'ai relu plusieurs fois le texte coranique sans trouver aucune trace de ce personnage pernicieux. J'ai besoin d'en avoir le cœur net mais j'ai peur des réactions du gardien de la mosquée et du culte. Il est capable de me traiter de gros plaisantin puis d'aller brancher son électrophone pour l'appel du soir, comme si de rien n'était. Je trouve qu'Onan méritait son châtiment. Il a été tué et il l'a bien mérité. Mais j'éprouve quand même une certaine sympathie à son égard. Il a évité de mettre la femme de son frère enceinte. Il aurait pu lui faire des jumeaux. Il s'en est bien gardé. Il n'a donc pas encouragé la reproduction. Il n'a rien à voir avec les rats, les escargots et les cochons dont la fécondité est légendaire. Il mérite mon estime. Ce qui ne veut pas dire que je trouve le châtiment divin très sévère. De toute façon, personnellement, je suis trop fidèle à l'Etat pour croire à toutes ces religions, mais je ne supporte pas les fornicateurs. Les rats n'ont pas de religion. Moi non plus. Il vaudrait peut-être mieux que je relise encore une fois le Coran et que je vérifie moi-même ce qu'il en est de cette affaire d'onanisme. L'extension de ce mot aux pratiques solitaires est quelque peu abusive ; mais l'étymologie est plus capricieuse que la biologie. Je n'ai pas besoin de belle-sœur. Je n'en ai pas. J'irai quand même voir le muezzin avec une demi-livre de benjoin et deux cierges géants. Il n'osera pas refuser de m'éclairer sur ce problème d'ordre historique. Mais où cacher toutes ces notes. Le mieux est de les apprendre par cœur et de brûler les petits bouts de papier. Il commence à pleuvoir. Quelques gouttes sont venues se plaquer contre la vitre de mon bureau. Elles se sont longuement étirées. Bigarrures elliptiques. Puis, plus rien. Et à nouveau la sécheresse ! Ma mère disait la pluie en mars, c'est de l'or en barre. Mais nous sommes en novembre. En plein automne. Saison savonneuse et flavescente. Rien de rigoureux. Des émois qui me rabotent les nerfs et des dattes à profusion sur le marché. Je n'aime pas. Trop sucré. Avec le gaz c'est la deuxième richesse nationale. Heureusement que les palmiers ne poussent pas sous terre. Ils ne craignent donc ni les rats ni les escargots.

Fiche n° 5 consacrée à cet animal : « Dans la mythologie universelle, l'escargot est étroitement lié à la lune et à la régénération périodique. Ainsi Tecçiztecal, dieu de la lune mexicain, est-il représenté enfermé dans une coquille d'escargot. Symbole de la fertilité, l'escargot qui n'apparaît qu'après la pluie, se trouve ainsi lié au cycle des champs. Montrant et cachant ses cornes, comme apparaît et disparaît la lune, il évoque la mort et la renaissance, la fertilité donnée par les morts, le mythe universel de l'éternel retour et de l'ancêtre revenu féconder la terre des hommes. Le symbole de l'escargot chez les Aztèques est associé à la conception, la grossesse et l'accouchement... » Je croyais que les Indiens étaient plus malins. J'avais tort d'ailleurs sinon ils n'auraient pas été colonisés par les Espagnols. Cette manière qu'ils avaient de mythifier un animalcule aussi ridicule, me les fait prendre en grippe. Il faut quand même leur reconnaître une certaine perspicacité. Pour ces gens, l'escargot était le symbole de la conception, de la grossesse et de l'accouchement. Ce en quoi ils avaient raison. Ils n'ignoraient pas que chaque fois que deux gastéropodes s'accouplent, la reproduction est double. Cela dit, il n'en reste pas moins que leur sublimation était une erreur grave. De la même façon qu'ils s'étaient trompés sur la valeur des Européens : ils les avaient sous-estimés. Sinon ils ne les auraient pas laissés piller leurs richesses ni détruire leur civilisation et leur langue. Je suis déçu par leur comportement. Ma mère m'aurait dit de quoi tu te mêles. Et puis qui sont ces Aztèques ? Il aurait fallu lui expliquer. Elle était vive et comprenait vite. Pourtant elle ne savait ni lire ni écrire. Elle avait su éloigner de son lit mon propre père, un fin lettré. Encore un trait commun que nous avons tous les deux. A vrai dire, c'est lui qui m'a parlé, le premier, des Aztèques et des Incas. Il les aimait bien. Moi aussi. Mais depuis que je connais le degré de vénération qu'ils vouaient au sous-ordre des stylommatophores, je les exècre. Savaient-ils, à l'époque, que des êtres si menus et si pacifiques seraient capables, des siècles après, de persécuter un honnête dératiseur, hautement spécialisé, dûment diplômé, et vouant à sa ville et à son pays toute une vie d'abnégation et de recherches obscures dans les méandres de la science zootoxique ? Certainement pas. Ils ont eu, quand même, tort. Il pleut à nouveau. Ma mère disait la pluie en mars c'est de l'or en barre. Mais nous sommes en novembre. Pourvu que ça dure. Je pourrais peut-être le retrouver et lui faire face. Il faut en finir, une fois pour toutes. Je suis prêt.

Une heure avant la fermeture du bureau, la secrétaire s'est évanouie. Un des laborantins s'est amusé à lui mettre sous le nez le *rattus rattus* ou rat noir que j'ai empoisonné ce matin. J'avais donné des ordres pour qu'on laisse les cobayes empoisonnés sous cloche pendant vingt-quatre heures, afin de voir comment leur organisme avait réagi au nouveau poison dont je vais commander des quantités importantes. Je demanderai quand même une réduction en arguant que notre ville n'est pas très riche. A moins que je n'écrive une supplique à l'O.M.S. Je l'ai déjà fait. Mais ils sont avares et ne lâchent rien. Je me demande à quoi servent toutes ces organisations internationales. A engraisser plutôt des soi-disant experts qui viennent nous donner des leçons et ne savent rien faire sinon toucher des émoluments royaux et acheter des tapis de laine.

C'est trop politique. A enlever. La secrétaire s'est donc évanouie. Le *rattus rattus* avait tellement enflé qu'il a quadruplé de volume et sa peau, devenue couleur vert-de-gris, était aqueuse et spongieuse. J'ai surpris le petit jeu du laborantin en faisant une sortie surprise. Je n'ai pas eu le temps de lui décerner un blâme, tellement l'aspect du rat noir m'avait frappé. Je l'ai enveloppé dans un sac en matière plastique et glissé dans l'une de mes vingt poches. Je fus pris de fébrilité et j'eus hâte de rentrer chez moi, pour examiner tranquillement l'animal empoisonné par la scille rouge. Je ne sus jamais ce qu'il était advenu de la secrétaire. Elle n'a pas réapparu. C'est son mari qui est venu dire qu'elle donnait sa démission. Elle était certainement enceinte. J'eus envie de lui demander s'il allait continuer encore longtemps à engrosser sa femme de la sorte. Mais je me suis ressaisi. J'étais en train de mettre mon imperméable et m'apprêtais à partir chez moi m'occuper de mon *rattus rattus* quand il fit irruption dans mon bureau. Je l'ai laissé s'époumoner. Je ne lui ai rien demandé au sujet de la fécondité de sa femme. J'étais trop pressé. Et puis, la forme supérieure du mépris, c'est le silence. Vérifier quel est le Chinois qui a eu cette pensée outrecuidante et corrosive.

Ce n'est certainement pas Mao Tsé-Toung !

Je suis rentré avec mon butin. J'ai toute la nuit pour l'observer, le disséquer et comprendre de quelle manière la scille rouge a agi sur son organisme. Avec les autres poisons qu'ils fussent lents et anti-coagulants comme la warfarine, la pindore, la proline, la fumarine, la diphacine et la norbormide, ou rapides comme l'alphaclhoralose, la strychnine, le phosphore de zinc, l'arsenic, l'A.N.T.U., le composé 1080, ou le sulfate de thallium, ou fumigènes comme le bromure méthylique, l'acide cyanhydrique, le monoxyde de carbone ou le cyanure de calcium pulvérisé, les réactions étaient beaucoup moins violentes sur les cadavres des cobayes. Lorsque je suis arrivé dans le jardin, l'averse qui avait été contenue trop longtemps frappait verticalement l'air comme avec des cordes mouillées. Il était là. Cornes croisées. Je me suis précipité à l'intérieur de la maison avec l'impression que deux pointes d'acier me perforaient le dos. Qui a dit que l'escargot était myope. Maudite fertilité. Maudits Aztèques ! Je voulais qu'il pleuve pour vérifier si j'étais vraiment poursuivi ou non. La preuve est faite. Il me reste à agir. Pour le moment, je suis pressé d'observer mon *rattus rattus* foudroyé par la scille rouge. Je pourrai écrire un article retentissant sur l'action de ce nouveau produit. Je me sens envahi par la curiosité scientifique. Aucune envie de sortir la boîte à chaussures. Je crois que je vais ouvrir une brèche dans la toxicologie animale. Je pourrais y travailler sérieusement. Je me connais. J'ai la patience du cactus. C'est ce que disait ma mère quand elle voulait me flatter. Elle était sûre de moi. Je ne la décevrai jamais. Je laisserai aux générations montantes l'exemple du travail scientifique bien fait. Un rat empoisonné double de volume. Un homme aussi. Mais le cadavre que j'ai amené avec moi à quadruplé. Pourquoi ? Si je suis le premier à le savoir, c'est le retentissement international. Mais auparavant, que d'efforts pour franchir le vide qui enroule frileusement mes mots ! Je l'ai déjà écrit quelque part. Je peux donner libre cours à mon émoi. Je suis chez moi. A l'abri des bavures et de la glu. La nuit qui est tombée depuis quelques heures est comme phosphorescente à cause des cordes épaisses de la pluie. La ville, comme à l'habitude, ne m'atteint pas. Mes concitoyens doivent déjà se demander comment passer leur jour de congé. Football ? Western ? Cuite ? Religion ? Dilemme. Ma tête grouille et malgré la jubilation due à ma curiosité, j'ai l'impression qu'on déchire des kilomètres de taffetas bariolé sous mon crâne. Encore un jour de plié comme une serviette usée.

Le sixième jour

Journée habituelle. La secrétaire a bel et bien démissionné. Je suis obligé de taper, moi-même, le rapport que je dois remettre aux autorités. Toujours au sujet de cette campagne de propreté. J'y exprime mon scepticisme quant à la réussite d'une telle entreprise : une fois terminée, elle ne laissera aucune trace durable. La ville sera à nouveau sale. Les immondices s'accumuleront dans certaines rues quelque peu périphériques. Les rats reprendront leurs activités destructrices. J'ai éliminé tous les slogans, à contrecœur. Pourtant je les trouvais percutants et efficaces. Je n'en démordrai pas. Un slogan. Un guide. Rien ne résistera à une telle loi. Les masses aiment se faire prendre en charge. Les rats aussi. Je l'ai déjà écrit. 5 000 000 de rats rongent votre capitale ! Celui-ci, j'y tenais beaucoup. Trop réaliste peut-être. J'imagine l'exode d'ici. La panique généralisée, la ville désertée, etc. Mes supérieurs ont eu raison de me rappeler à l'ordre. Je ne vois pas toujours l'aspect politique des choses. Je suis un savant et non pas un politologue. J'ai pris l'autobus de 8 h 30 pour arriver à l'heure à mon bureau. J'ai donc subi le mutisme agressif du chauffeur. Mais le véhicule est tombé en panne à mi-parcours. J'ai dû attendre celui de 8 h 45. J'ai alors subi les bavardages provocateurs du conducteur. Mauvaise journée pour moi. Supporter les deux conspirateurs à un quart d'heure d'intervalle, c'est beaucoup pour un seul homme. D'autant plus qu'il pleut à torrents. En quittant la maison je l'ai vu qui était là, toujours à la même place. Un vrai observatoire stratégique. Cornes croisées. Coquille redressée. Agressivement. Prêt à l'attaque. Je n'ai pas réagi. J'ai été à la station selon mon rythme habituel. Sans me retourner. Journée routinière. Avec ce rapport qu'il faudra taper ! Au fond je suis content de ne plus avoir de secrétaire. Je n'aime pas les reproductrices prolifiques et mon document est bourré de notes très confidentielles. Elle aurait tout de suite jasé, d'autant plus qu'elle est enceinte. J'en suis certain. Moi je vis seul. Une originalité dans cette ville désemparée par la démographie et la mauvaise foi. Mes concitoyens ne sont pas raisonnables. Il faudrait les faire marcher à coups de slogans catastrophistes. Heureusement qu'ils vont moins vite que les rats, les escargots et les cochons ! Plus on descend dans la classification animale et plus la reproduction est importante. Je passe inutilement mon temps à l'expliquer à mes employés. Je n'allais quand même pas procréer comme tout le monde. Ma sœur a voulu me marier à une amie. Celle qui a un bras plus court que l'autre. J'ai refusé. Depuis vingt ans qu'elle essaie de me convaincre ! Je la laisse dire. Journée habituelle. Dans la matinée, je suis descendu au laboratoire et j'ai passé une heure à observer deux souris sauteuses parcourir un labyrinthe compliqué conçu et fabriqué par mes soins, selon les indications de Silas Haslam. C'est un encerclement successif. Je l'ai bourré d'obstacles, de difficultés et me suis amusé à regarder les deux animaux découvrir l'espace, l'organiser, le structurer et le mémoriser avec une intelligence et un sens de l'orientation peu communs. Le parcours était tout embrouillé, tout tronçonné, tout fracassé. Mais les animaux couraient à travers un tissu de lignes qui se transformaient, très vite, en une concavité inlassablement lovée au sein d'elle-même, ramollissant la rigidité de la brisure répétitive, désagrégeant courbes et segments et détours et nodosités et barrières. Une qualité essentielle du rat : l'arpentage. A noter sur un petit bout de papier. On l'oublie souvent. Cet animal a un sens de la topologie que l'homme n'a pas. Il repère. Organise l'espace. Revient. Se souvient. Deux mois après, lâché sur le même parcours, il ne commet aucune faute. Sillonne inlassablement l'itinéraire pour aller vers l'essentiel. Un plaisir pour l'esprit. Je devrais en construire de plus compliqués et multiplier de telles expériences. Une compensation bien méritée. Se référer à la fiche n° 2012.

Je suis arrivé avec cinq minutes de retard à mon bureau. Une partie des employés a regardé l'horloge. L'autre s'est abstenue. J'ai compris que leur solidarité se lézardait. Je n'ai pas réagi. La secrétaire n'a pas souri. Elle n'est plus là. A quoi bon leur expliquer que mon bus était tombé en panne. Je me demande d'ailleurs s'il s'agissait vraiment d'un incident mécanique. Je l'ai déjà noté sur un petit bout de papier. Ces deux conducteurs ne m'inspirent pas confiance. Ils sont de mèche. Un mot explosif. A raturer. En bon fonctionnaire loyal j'aurais dû glisser une petite allusion à ces deux conspirateurs dans mon rapport sur la propreté de la ville. Après tout, la subversion est un virus, comme la puce du rat est un vecteur de la peste. Les généraux d'Amérique du Sud tiennent le même langage que moi. J'imagine qu'ils savent de quoi ils parlent. A l'arrêt de l'autobus, pendant que j'attendais, un enfant m'a tiré la langue. Bulbeuse et grenue. Il la remuait d'une façon obscène. J'ai détourné mon regard en me disant que les indices de la conspiration devenaient de plus en plus clairs. Beaucoup plus évidents que les prétendues traces de passages de surmulots sur les conduites de gaz passant sous la ville et amenant le méthane du désert vers des contrées lointaines ! D'ailleurs le chef de l'équipe n° 1, lui aussi, fait partie du complot. Sa passion pour la bière est trop soudaine. Il était très lié au muezzin qui gère la nouvelle mosquée. Celle qui se trouve juste en bas de ma rue et qui m'a coûté toutes mes économies. Il faut reconnaître que j'ai fait trop de zèle. Ils ne se quittaient pas. Et voilà qu'il se met à ingurgiter ses vingt bières par jour. Il s'agit, sûrement d'un stratagème. Mais lui, il est intouchable. Ses relations avec le gardien du culte ne me regardent pas. Cependant sa parenté avec l'un de mes chefs supérieurs est primordiale. Je suis un fonctionnaire modèle. Je comprends le népotisme de certains dirigeants. Leurs familles les harcèlent tellement qu'ils préfèrent en recommander tous les membres, les placer à des postes qu'ils ne méritent pas et se consacrer aux tâches primordiales d'intérêt national. Cela dit, il n'en reste pas moins que l'étau de mes ennemis se resserre autour de moi. J'en suis ému. Aujourd'hui, je peux d'ailleurs avoir mes émois. J'ai cousu la poche secrète à l'intérieur du talon de ma chaussette droite. Entre nylon et nylon. L'ennui, c'est que pour y camoufler mes petits bouts de papier, je suis obligé de me déchausser à chaque fois. Il ne faudrait pas que l'un de mes employés ou que le mari de la secrétaire me surprenne dans une position grotesque. On pourrait croire que je fais mes ablutions dans le bureau et faire courir le bruit que je suis retombé en religion. Non ! trop fidèle à l'Etat pour être fidèle à Dieu. Je n'ai pas le choix. Ma mère m'a appris à ne pas me mettre entre les deux bosses du chameau. L'époux de la secrétaire est revenu impromptu. Il réclame des dommages et intérêts parce que sa femme a attrapé la jaunisse. Il prétend que c'est un accident de travail sous prétexte qu'elle a été effrayée par le cadavre enflé du rat empoisonné à la scille rouge.

Je suis venu un petit peu en retard à

mon bureau, à cause d'une panne stupide. La matinée s'est passée très vite. J'ai dû remettre plusieurs fois la lecture de la dernière partie de la fiche n° 5 consacrée à l'escargot. Rubrique : « Rôle de l'escargot dans les mythologies anciennes » : « ... Enfin, il participe d'un symbole général celui de la spirale, qui selon qu'on l'envisage construite à partir d'un point central se développant vers l'extérieur, signifie ouverture et évolution, ou au contraire, s'enroulant vers un point intérieur, veut dire involution et approfondissement. La spirale de l'escargot apparaît donc comme l'ordre au sein du changement, et comme l'équilibre dans le déséquilibre. Cette métaphore cultivée par les Aztèques s'explique par la diversité et la multiplicité des stries d'accroissement que l'on voit dessinées sur la coquille calcaire des gastéropodes, de couleur marron grisé, et qui varient chez chaque individu de l'espèce, un peu comme les empreintes digitales chez l'homme. Si les Romains lisaient l'avenir dans les entrailles des animaux, les anciens Mexicains le lisaient dans les nervures qui sillonnent les coquilles des escargots. » Décidément, les Aztèques me déçoivent. Ils sublimaient l'animal en question jusqu'à voir, dans la variation de ses stries d'accroissement, une combinatoire complexe et fascinante. L'emblème des Américains, c'est un peu la souris astucieuse. C'est pourquoi ils dominent le monde et ont toute mon estime. L'emblème des Aztèques, c'est l'escargot baveux. C'est pourquoi ils ont été dominés et méritent mon mépris. Moi qui suis éreinté par la transcription et fasciné par la combinatoire, j'aurais été le premier à me passionner pour les coquilles des gastéropodes ! Mais la mentalité des Mexicains anciens était circumvolutionnaire et prélogique quand je suis résolument rationnel. Je n'ai même pas envie de m'étendre sur un tel sujet. Il me répugne. J'en veux à mon père de m'avoir aussi parlé des Incas du Pérou. Il les aimait bien. Encore une de ses faiblesses qui m'aura coûté cher. Comme si la fragilité de mes poumons ne suffisait pas. Il aimait les vaincus. Il se projetait, le pauvre homme. Sinon, pourquoi m'avoir induit en erreur sur ces Aztèques que je commence réellement à exécrer. J'ai toujours été du côté des vainqueurs. Il faut que je me calme. Noter cet émoi sur un petit bout de papier et le cacher dans la vingt et unième poche. Je ne suis pas n'importe qui pour me laisser aller à des colères idiotes. J'ai la charge de l'hygiène de toute une ville. J'ai la responsabilité, entre autres, d'un gazoduc, de plusieurs silos, d'une dizaine de châteaux d'eau, d'un port gigantesque et des fondements qui soutiennent la cité. Il pleut toujours, à verse. J'ai donné des ordres, par téléphone, aux laborantins, afin qu'ils jettent les cadavres des cinq cobayes empoisonnés par mes soins. L'analyse du *rattus rattus* suffit. J'ai rempli une dizaine de fiches concernant l'effet de la scille rouge sur l'organisme des rongeurs nuisibles.

Maintenant je suis calme. L'après-midi se déroule sous une pluie battante. Je n'ai pas eu un instant pour regarder par la fenêtre. Calme et rigoureux. Ripoliné, sec et inoxydable. Personne ne lit en moi. Indéchiffrable. J'ai les yeux gris de ma mère. Elle disait habillé ou nu, ce qui compte c'est comment on est dedans. Encore un proverbe prodigieux. Elle les cultivait ainsi que la menthe pour le thé dont elle consommait plusieurs litres par jour. Effectivement, ce qui compte c'est l'intérieur. Je suis nanti. Pile ou face. Je suis pareil. L'escargot, lui, est mou à l'intérieur et dur à l'extérieur. Décidément, j'ai une prédilection pour les rats. S'ils n'étaient pas si féconds, je les préférerais aux hommes. Il est vrai que je suis chargé de les exterminer, mais une longue pratique m'a appris à les aimer. Une certaine affection, diffuse. Les gens ne savent pas ce qu'ils veulent. Lors des famines, le rat permet à l'homme de survivre. Durant celle que connut Le Caire en 786 de l'Hégire, Makrizi (743-820) était catégorique : les bouchers vendaient le rat dépecé, au poids. En 1870, à Paris, le rat atteignait jusqu'à quatre francs pièce (cf. Fiche n° 154). Je lis moi ! Qui connaît Makrizi ? Un précurseur arabe de l'économie moderne. J'ai le temps de fouiner. Je ne dors pas. Lorsqu'on a la charge d'une ville comme celle-là, il n'y a que l'insomnie qui compte. Aucun éparpillement. Aucune digression. J'en ai horreur. Des objectifs clairs et des délais stricts pour les réaliser. C'est la clé de la réussite. J'ai consacré plusieurs fiches, il y a quelques années, à la disette en Egypte sous la dynastie des Ayoubites au début du VIIIe siècle musulman, à travers le livre de Makrizi intitulé : *Sauver la nation en l'informant du désastre*. J'aime bien ses analyses économiques. Mais je me demande, avec le recul, si ce n'était pas un communiste. C'est pourquoi je n'en ai pas parlé jusque-là. Effacer tout ce que j'ai écrit au sujet de Taki Eddine Ahmed El Makrizi. Il faudra bien que je me mette à écrire ce livre sur les bienfaits du rat, sur son intelligence. En attendant, je suis calme.

L'essentiel, c'est le dedans. Ma mère avait raison. Elle a toujours eu raison. Elle disait habillé ou nu, ce qui compte c'est comment on est dedans. Elle était infaillible. Ses proverbes sont une source constante d'enrichissement pour moi. Je les ai mis sur fiches d'ailleurs. Une centaine environ. Rester vigilant. Préparer un plan minutieux.

Le tic-tac de ma montre est assommant. Elle gît au fond de la poche-gousset de mon gilet. La remplit de fragments de temps, à tel point qu'elle me pèse lourd. J'ai eu tant à faire que j'ai oublié de mettre le calendrier sur le bord de mon bureau et de le coincer avec mes deux dictionnaires. Entre la montre et le calendrier, je suis pris entre deux temps. Celui qui court sur le cadran segmenté en heures et minutes et celui qui court sur le carton fractionné en mois et jours. Le loquet de la porte de mon bureau m'intrigue. Il a l'air d'avoir changé de forme. Je ne m'étais jamais rendu compte qu'il était en spirale. Je me lève et le regarde de près. Il n'a pas la même forme que lorsqu'on le voit de loin. Il est moins ovoïde et plus concentrique. Ça ne m'étonne pas. C'est comme la jambe de ma sœur. Il y a toujours une différence. Selon que l'on observe un objet de face ou de profil. Je m'affole à tort. Mais l'hiatus est évident. Le pan — mur — blanc. Le tic-tac-temps. Le calendrier-dispositif. Puis l'après-midi qui s'effiloche. La confection de gestes inutiles. Les mots contournés avec toute la prudence requise avant de les écrire sur mes petits bouts de papier. Consomption du zodiaque. Soliloque calamiteux. J'ai envie de rentrer chez moi et de sortir la boîte à chaussures. Nerfs ciselés par l'opacité ambiante. La bouffée d'angoisse s'étire et s'allonge comme une goutte de mercure elliptiquement nuancée par son propre poids. Laisser libre cours à l'émoi avant de recevoir un autre pâtissier furieux, une autre mère éplorée. La concentricité du loquet m'obsède comme une coquille d'escargot. Mots drus et qu'il faut raturer avant même de les transcrire. Traces bourdonnantes à la limite de la stridence. Les voix me parviennent à nouveau mouillées et comme à l'envers. La montre se vide quart d'heure par quart d'heure. Avec tout le travail qui me reste à faire! Zébrures. Cratères. Biffures. Lecture gastéropode à la manière aztèque. Les mots taraudent le papier. Evolution ou involution selon que la spirale se déroule à partir d'un point extérieur ou qu'elle s'enroule vers un point intérieur. Ordre. Désordre. Si les Aztèques ont raison, les racontars de la nourrice sont vrais. Et si j'avais un gros rat coincé dans la tête ? Rester fixe. Attendre que cela se passe. J'ai mon rapport à taper. Mais une fluidité orangée me coupe en deux. Un côté mou et un côté dur. Je me mets à leur ressembler. Des couleurs violacées, des impressions sous-jacentes fermentent à l'intérieur de ma tête sous la levure des mots brisés, gommés, raturés, désarticulés et dont la signification reste incertaine. Hantise hélicoïdale. Pris au piège. Désaxé. Décentré. Le dedans qui flanche. L'inox qui rouille et la perplexité compacte ! Pelote douloureuse de la tête et papier bulle des poumons. Il tombe des paquets d'eau et l'éclairage n'est pas fait pour atténuer cette impression d'une multiplication de sources et de foyers de lumière se subdivisant chacun en des milliers de fragments qui fusent et tournoient dans l'air pourri par l'humidité. Télescopage de pastilles flavescentes virevoltant sous le crâne à travers prismes et déviations, charriant avec elles des mots gravés au burin dans une zone épaisse et granulée. Je m'affole peut-être à tort. Mais je suis à bout. C'est la vérité. Il ne faut pas effacer ces lignes. Je tiens à les garder. Je voudrais, pour une fois, être vrai.

L'accalmie qui suit me permet de

retrouver mes esprits. J'aimerais qu'il cesse de pleuvoir pour que je puisse me concentrer à nouveau, expédier les affaires courantes et recevoir une ou deux personnes avant la fermeture du bureau. Mon chef supérieur m'a appelé tout à l'heure. Il s'inquiète de mon silence au sujet du rapport. Je n'ai pas voulu l'ennuyer et j'ai tu mes soupçons sur la conspiration dont je suis la victime désignée. J'ai promis de lui envoyer le document par le courrier du lendemain. Il a insisté pour me demander si j'allais bien. J'ai répondu qu'un fonctionnaire fidèle et modèle ne peut que bien aller. Il a eu l'air soulagé. Il m'a parlé du mauvais temps et ajouté : les escargots s'en donnent à cœur joie. J'ai failli lui dire que sa plaisanterie était de mauvais goût. Je l'ai mis au courant de l'acquisition du nouveau produit. Il parut rassuré sur l'extermination des rats. Il n'a rien dit pendant quelques secondes. J'en ai profité pour le saluer respectueusement et raccrocher. Au fond, ma crise a duré si peu. J'ai la patience du cactus. Je sais attendre que l'orage passe. La conversation téléphonique m'a aidé à dépasser ce mauvais moment. Il n'en reste plus rien. J'ai fait une apparition inattendue dans les différents services. J'avais besoin d'éprouver mon autorité. Un planton qui somnolait sur sa chaise s'est réveillé en sursaut. Il m'a senti passer et s'est mis au garde-à-vous. J'ai usé, avec lui, d'une formule très paternaliste. Il a failli s'évanouir, de joie. Je suis revenu dans mon bureau complètement transformé. A nouveau, j'étais un fonctionnaire compétent doublé d'un technicien éprouvé. En somme, malgré ce petit contretemps, une journée habituelle. J'ai eu ce malaise à cause du tic-tac de ma montre. Je l'ai brisée sous le talon de ma chaussure. Elle a éclaté en dix petits morceaux. Je n'en porterai jamais plus. Ensuite, j'ai été jeter les débris dans les toilettes. Je me sens soulagé. J'ai toujours aimé cet objet. Mais je viens de comprendre qu'il s'agit d'un héritage empoisonné de mon défunt père qui, décidément, m'a légué plusieurs tares dont les pollutions nocturnes, l'onanisme, la fragilité des poumons, la régularité des traits et cette maudite montre en or qui a failli me rendre fou. Maintenant que j'ai dépassé cette crise j'ai décidé de compulser une fiche sur l'accouplement des escargots. Un défi et un test !

Fiche n° 07 : « Chez l'escargot, l'accouplement est réciproque. Muni d'un appareil génital hermaphrodite, cet animal excite son partenaire en lui piquant la peau de son dard. De son côté, il est excité de la même manière. Dès que l'excitation a atteint un seuil maximum, le dard se brise et sort par l'orifice génital grâce au mucus des glandes multifides. A ce moment, le pénis est dévaginé en doigt de gant et introduit dans le vagin de l'autre escargot qui en fait de même. Cet accouplement se fait dans la position debout et il peut durer plusieurs heures et permettre aux deux partenaires de jouir doublement et très intensément. » J'ai lu et relu cette fiche en m'aidant de planches extrêmement explicites. J'ai ressenti un dégoût intense mais je suis resté sec et aseptisé. J'ai gagné mon défi et le test est positif. Cette lecture m'a déterminé à agir le plus vite possible. Je suis décidé à en finir. Ma phobie doit passer. Il y va de la propreté et de la sécurité de la ville. Car je n'oublie jamais les menaces que font peser les surmulots sur le gazoduc. Il est enterré sous terre pour des raisons certainement stratégiques que je n'ai pas à expliquer ou à analyser et qui ne sont pas de mon ressort de toute manière. Il amène à l'intérieur de ses gros boyaux, à travers des galeries cimentées et aménagées spécialement à cet effet, le méthane fétide et le distribue à toute la cité. Puis il s'en va, sous la mer, vers d'autres villes lointaines que mon père, mis à l'écart, s'évertua à visiter. Sous prétexte de soigner ses poumons, il s'attardait dans les ports louches. Il était vite rappelé à l'ordre par une lettre de ma mère que j'écrivais sous sa dictée. Il revenait aussitôt. Elle, pour me flatter, disait tu tiens de moi ! Tu verras, quand tu seras grand je t'achèterai des poumons en plastique. A l'époque, c'était une matière très rare et précieuse. Ce n'est que lorsque j'ai grandi que j'ai compris l'énigme. Elle ne voulait pas que j'aie les mêmes poumons que son piètre époux.

Je n'ai pas envie de continuer à raconter ma journée, maintenant qu'elle touche à sa fin et qu'elle s'est dévidée comme une pellicule gélatineuse et grenue à la fois ; striée d'incidents et d'accidents, déchirée par endroits, recollée et, à nouveau, grêlée de mille indices et autres lézardes somptueuses. J'ai pris assez de notes pour la reconstituer, la démultiplier, la rétrécir et la représenter à ma convenance ou bien selon les besoins du service que je dirige, au grand profit de la communauté vautrée dans ses certitudes et ses fausses gloires, ingrate et orgueilleuse. Je pourrai donc la refaire, à tête reposée, chez moi. Sans failles ni oublis. Malgré l'automne pluvieux et ramolli, malgré aussi, les pollutions et les émois, je tiens correctement mon rôle et mes supérieurs devraient être fiers de moi. Je me préoccupe même des chauffeurs d'autobus. Je suis vigilant. Jaloux des prérogatives de l'Etat et de ses initiatives. Si tous les fonctionnaires faisaient comme moi, la ville serait pimpante à l'heure qu'il est, au lieu de se débattre dans ses viscosités, ses immondices et ses goulots d'étranglement. Je l'ai écrit dans mon rapport, ses bourrelets successifs en viendront à bout, ainsi que le laisser-aller de ses habitants. Mais j'ai été obligé de tout barrer pour faire plaisir à mes supérieurs hiérarchiques. Mes concitoyens ont la mémoire courte, la susceptibilité rapide et la démarche houleuse. A effacer. En ce moment précis où la nuit tombe, j'ai l'impression que la réalité est plus spongieuse que jamais. J'ai quand même retrouvé mes esprits. Remis mon fichier à jour. Complété mes dossiers. Donné des ordres. Veillé à la bonne marche du service. La pluie cingle les vitres de mon bureau selon des réseaux complexes qui rappellent les lacis dessinés par les rats lorsqu'ils parcourent un labyrinthe-miroir. A nouveau, les mots bullent dans ma tête. Je les laisse faire. Ils finissent toujours par moisir dans mes solutions aqueuses. Mon haleine est comme translucide parce que j'ai bien accompli ma tâche journalière, à travers obstacles et traquenards. Je me débrouille à la manière des rats que j'extermine mais, qu'en fait, j'aime bien. Comme ma décision est prise, j'en reviens à des considérations plus sereines. Je n'en veux même plus aux Aztèques. Ils ont été trompés. Moi aussi. L'essentiel est de le savoir. Lucidité érigée en barricade. Un mot trop chargé d'histoire et de subversion. A rayer. Plutôt en rempart. Fidélité façonnée en dogme. Ma mère était sûre de ma réussite car elle savait que je possédais toutes ses qualités. Elle a eu raison d'avoir confiance en moi.

Comme il pleut à torrents, l'autre doit continuer à clapoter dans sa pluie. Grand bien lui fasse. Nous arrivons au terme du mirage. Je n'appréhende pas de rentrer chez moi. Je ressens même une certaine jubilation. Le déchaînement naturel ajoute à mon déferlement. Je me sens frappé de gigantisme. La démesure m'envahit. La sonnerie retentit. C'est l'heure de la fermeture. Je n'ai plus de montre pour vérifier si les employés n'ont pas avancé l'horloge. Ils s'en vont. Tout est en ordre. Mes dossiers sont à jour et rigoureusement classés. Mon rapport sur la prochaine campagne de propreté est terminé. Mon second fichier est bien à l'abri chez ma sœur qui habite toujours la campagne et qui continue à boiter. Les objets ont perdu de leur hargne diurne. Les angles s'incurvent. Automne. Quelle drôle de saison ! Ma mère disait ni citron ni orange. De surcroît : une ambiguïté végétale. Turbulence des nageoires-fleurs dans le déluge qui se déverse sur le jardin. La rumeur de la ville remonte jusqu'à mon bureau comme molletonnée. Ni orange ni citron. Entre deux formes. Entre deux couleurs. Flaccidité des bégonias qui nagent au-dessus de leurs tiges inondées. Je ne suis pas pressé. Mes notes secrètes sont à l'abri, dans le talon de ma chaussette droite. S'il m'arrivait un accident, personne ne découvrirait cette cachette impossible. J'emporterais mes secrets, mes émois, avec moi. Je le mérite. J'ai toujours été un fonctionnaire consciencieux. Je ne laisse rien au hasard.

Je suis resté, longtemps, dans le noir. Les femmes de ménage m'ont fait sursauter. Elles arrivent à 7 heures du soir. Juste une heure après la fermeture des bureaux. Je me suis dépêché d'allumer pour ne pas être surpris. J'ai enfilé mon pardessus et suis sorti.

Dehors, la pluie. Les grosses gouttes meurtrissent l'asphalte. Une légère brume flotte au-dessus de la ville. Fluorescence bleuâtre. J'ai su, tout de suite, qu'il était là. Très calmement, je me suis approché de lui. Il fit face. Je l'ai, aussitôt, écrasé avec la semelle de ma chaussure gauche épargnée par les désastres des rats et les présages des devins. Une bulle d'eau s'irisa à la surface du sol trempé, à l'endroit où je venais de le tuer. Un passant s'arrêta pour me regarder. Je dis cela fait exactement six jours qu'il me poursuit. Inutile de donner l'alarme. Je vais me constituer prisonnier.

DU MÊME AUTEUR

Impression Société Nouvelle Firmin-Didot
le 2 mars 2005.
Dépôt légal : mars 2005.
1ᵉʳ dépôt légal dans la collection : octobre 1985.
Numéro d'imprimeur : 72738.

ISBN 2-07-037686-9/Imprimé en France.